MOEWIG

Liebe und Zärtlichkeit

# Kennen Sie Ihren Partner?

Ewald Melzer

Moewig

Verlagsunion Erich Pabel-Arthur Moewig KG, Rastatt

3. Auflage


Umschlagentwurf und -gestaltung: Werbeagentur Zeuner, Ettlingen
Umschlagfoto: Nancy Ney/VPM-Redaktionsservice, Rastatt
Auslieferung in Österreich:
Pressegroßvertrieb Salzburg Gesellschaft m. b. H.,
Niederalm 300, A-5081 Anif
Printed in France 1991
Druck und Bindung: Brodard & Taupin, La Flèche, Frankreich
ISBN 3-8118-7164-1
(60er-Kassette)

# Inhaltsverzeichnis

# Wie du mir – so ich dir

Dieses Buch ermöglicht Ihnen ein großes Abenteuer, eine Entdeckungsreise in die unerkannten Landschaften Ihrer eigenen Persönlichkeit.

Wo immer sich Menschen begegnen und verbinden, bringen sie stets all ihre Einstellungen, Meinungen, Vorurteile und Verhaltensweisen in die Beziehung mit ein. Ob eine Partnerschaft beglücken, erfüllend und förderlich ist oder nicht, hängt nicht von den Charaktereigenschaften der beteiligten Personen ab. Selbst extreme Gegensätze in Interessen, Meinungen und Bedürfnissen müssen nicht unbedingt zu Schwierigkeiten führen. Ja oft genug sind es gerade diese Gegensätze, welche die Anziehung bewirken. Die oft beschworenen Partnerschaftskonflikte sind zum größten Teil in die Beziehung verlagerte innere Konflikte. Daher das häufige Gefühl von Sinn- und Hoffnungslosigkeit, wenn Paare in die Krise geraten. Ein nach außen getragener innerer Konflikt ist seiner Natur nach dort nicht lösbar. So wird ein Mensch, der seine polygamen Neigungen bei sich unterdrückt und verdrängt hat, zwangsläufig wahnhaft eifersüchtig sein. Denn alles, was man bei sich nicht wahrnimmt, wird auf den anderen projiziert. Man vermutet dann die eigene verleugnete Neigung beim Partner. Das Vertrackte an diesem „Spiel“ ist, daß man den Partner durch Projektionen allmählich gerade zu dem Verhalten verführt, das man am meisten fürchtet.

Daraus ergibt sich, daß Selbsterkenntnis die wichtigste Voraussetzung für eine gelingende Partnerschaft darstellt. Die in diesem Buch vorgelegten Tests können Ihnen dabei eine große Hilfe sein. Ohne einen Spiegel nämlich geht es nicht. Wenn Sie jemals Gelegenheit hatten, sich in einem Video zu sehen, werden Sie wissen, was gemeint ist. Fast jeder ist erstaunt über die Art seiner Bewegungen und seines Mienenspiels. Man könnte sagen, niemand ist einem fremder als man sich selbst. Und wenn wir schon nicht wissen, welcher Gesichtsausdruck und welche Gesten uns eigen sind, wie wird es dann erst um die subtileren Dinge bestellt sein.

In jedem Augenblick unseres Lebens reagiert auch unser Körper, spiegelt unser Denken und Fühlen wider, und das wirkt auf andere und bewirkt etwas. Leider ist die Wirkung, die wir erzielen, oft nicht die, die wir gewünscht haben. Wenn zum Beispiel jemand gewohnheitsmäßig und unbewußt die Augenbrauen hochzieht, während er spricht, dann wird der Angesprochene mit Unsicherheit oder sogar Angst reagieren, gleichgültig wie freundlich oder liebevoll die gesprochenen Worte gemeint sein mögen.

Die Tests in diesem Buch sind eine Art Spiegel. Sie zeigen Ihnen, welche Eigenschaften, Motive, Wünsche, Bedürfnisse und Einstellungen Sie haben und wie stark diese ausgebildet sind. Da es sich dabei nicht um Angeborenes, sondern um Erlerntes handelt, haben Sie jederzeit die Möglichkeit, etwas daran zu ändern. Die Testergebnisse zeigen also nicht Ihr Wesen und Ihren Charakter an sich, sondern nur, wie Sie jetzt im Augenblick der Testbearbeitung eingestellt waren. Oft löst bereits das Erkennen eines Sachverhaltes eine sofortige Veränderung aus.

Natürlich werden Ihnen die Tests ein um so besserer Spiegel sein, je aufrichtiger Sie die Fragen beantworten. Es steht Ihnen frei, sich selbst zu bemogeln, die Fragen so zu beantworten, daß Sie nur erfahren, wie Sie gern sein möchten. Das Ergebnis würde Sie dann vielleicht beruhigen, Ihnen jedoch sicherlich nicht zu größerer Selbsterkenntnis verhelfen.

# I. Die zehn grundsätzlichen Fähigkeiten für die Partnerschaft

Bei dieser Testbatterie geht es um die grundsätzlichen Fähigkeiten, die für eine erfolgversprechende Partnerschaft vonnöten sind. Jede dieser Fähigkeiten ist wichtig, und wenn eine fehlt oder zu schwach ausgebildet ist, wird es schwierig werden. Mit diesen Fähigkeiten verhält es sich etwa so wie mit den Bausteinen elektronischer Systeme. Eine Hi-Fi-Anlage gibt immer nur das her, was ihr schwächster Teil leistet. Die besten Boxen bringen doch immer nur so viel, wie der Verstärker hergibt und umgekehrt.

Ein aufrichtiger Partner mit hochentwickelter Sinnlichkeit und gutem Selbstwertgefühl wird es schwer haben, den Partner zu erreichen, wenn es ihm an Einfühlungsvermögen mangelt. Und ebenso wird ein einfühlsamer, liebevoller Mensch, der alle anderen Fähigkeiten aufweist, aber ein geringes Selbstwertgefühl besitzt, weder sich noch den Partner glücklich machen können.

Die Testserie gibt Ihnen die Möglichkeit, Ihre schwächsten Punkte zu erkennen und zu verbessern.

## 1. Kennen Sie die Wünsche Ihres Partners?

Vielleicht kennen Sie die Geschichte von dem alten Ehepaar, das bei der goldenen Hochzeit herausfindet, daß der Ehemann fünfzig Jahre lang den Kanten vom Brot aß, den er nie mochte, weil er glaubte, seine Frau würde ihn auch nicht mögen. Sie aber fand den Kanten das Beste am Brot, und aus Liebe hatte sie darauf verzichtet.

Eine rührende Geschichte der Liebe, aber auch eine traurige. Denn es gibt ja bedeutsamere Wünsche als solche, und aus Unkenntnis auf ihre Erfüllung zu verzichten, wäre doch schade. Man braucht kein Hellseher zu sein. Meist reicht ein bißchen Aufmerksamkeit oder eine einfache Frage aus, um die Wünsche des anderen zu erkennen.

Damit es Ihnen nicht so geht wie dem alten Ehepaar, beantworten Sie zunächst die Fragen, und erkundigen Sie sich dann bei Ihrem Partner, ob Sie damit richtig gelegen haben.

## Testfragen

1) Gesetzt den Fall, Sie hätten im Lotto gewonnen, wüßten Sie dann, welche Automarke Ihr Partner kaufen würde?
o Ja o Nein

2) Kennen Sie die Lieblingsfarbe Ihres Partners?
o Ja o Nein

3) Wissen Sie, welcher Frauentyp ihn anzieht, welcher ihn völlig kalt läßt?
o Ja o Nein

4) Wissen Sie, welche Rubrik in der Zeitung (Sport, Politik, Wirtschaft usw.) er am gründlichsten liest?
o Ja o Nein

5) Können Sie auf Anhieb sagen, welche Themen bei ihm im Gespräch am häufigsten auftauchen?
o Ja o Nein

6) Gesetzt den Fall, Ihr Partner müßte für vierzehn Tage in völliger Einsamkeit leben. Außer den notwendigen Dingen wie Kleidung und Nahrung dürfte er nur drei Gegenstände mitnehmen. Wüßten Sie genau, was Sie in sein Gepäck legen?
o Ja o Nein

7) Kennen Sie sein Lieblingsbier?
o Ja o Nein

8) Wissen Sie, wovor Ihr Partner am meisten Angst hat?
o Ja o Nein

9) Wenn Sie in den Zoo gingen, könnten Sie voraussagen, bei welchem Tier Ihr Partner am längsten stehenbliebe?
o Ja o Nein

10) Können Sie mindestens zwei Frisuren außer Ihrer eigenen angeben, die Ihrem Partner mit Sicherheit gefallen würden?
o Ja o Nein

11) Gesetzt den Fall, eine Modezeitschrift würde Sie ohne Kostenbegrenzung von Kopf bis Fuß nach Ihren Wünschen einkleiden. Wären Sie sicher, daß Sie exakt die Garderobe wählen, die Ihr Partner am schönsten findet?
o Ja o Nein

12) Wissen Sie, was Ihr Partner an Ihnen nicht mag?
o Ja o Nein

13) Sind Sie sicher, genau zu wissen, was Ihren Partner beim Sex am meisten stimuliert?
o Ja o Nein

14) Wissen Sie, welches Ihrer Kleidungsstücke er zur Zeit am liebsten hat?
o Ja o Nein

15) Gesetzt den Fall, Sie hätten im Preisausschreiben eines Kaufhauses gewonnen und dürften für Ihren Partner ein Paar Schuhe, eine Krawatte und eine Lederreisetasche ohne Ansehen des Preises aussuchen. Wüßten Sie genau, daß Sie das Richtige treffen würden?
o Ja o Nein

16) Wissen Sie genau, mit welchem Verhalten Sie todsicher bei ihm eine sexuelle Reaktion auslösen?
o Ja o Nein

## Testergebnis

Für jedes „Ja", das Sie angekreuzt haben, erhalten Sie einen Punkt.

## Auflösung

*13 und mehr Punkte:*
Sie kannten schon vor dem Test die Wünsche Ihres Partners recht genau. Das zeigt, daß Sie aufmerksam sind und Fragen stellen, wenn es not tut.

*7 – 12 Punkte:*
Für Sie ist dieser Test auf jeden Fall ein Gewinn gewesen, und das gleich auf zwei Ebenen. Sie kennen jetzt die Wünsche Ihres Partners entschieden besser, und außerdem wissen Sie nun, wie leicht es ist, sie herauszufinden. Das können Sie sich für die Zukunft zunutze machen.

*Weniger als 7 Punkte:*
Vor dem Test kannten Sie nur wenige der Wünsche Ihres Partners. Das ist nun anders – sicherlich ein Gewinn für Sie. Es lohnt sich aber, darüber nachzudenken, aus welchem Grund Sie so wenige seiner Wünsche kannten. Wahrscheinlich glauben Sie, Liebende wären immer auch Hellseher und müßten sich die Wünsche gegenseitig von den Lippen ablesen. Das ist ein gefährlicher Irrtum, denn Liebe hat zwar viel mit Sinnlichkeit, aber gar nichts mit Übersinnlichem zu tun.

## 2. Wie eifersüchtig sind Sie?

Eifersucht ist ein merkwürdiges Phänomen. Sie ist kein richtiges Gefühl wie Schmerz, Trauer oder Liebe. Und doch ist höchste Erregung dabei, so stark, daß Menschen bis zum Äußersten gehen, bis zum Mord oder Selbstmord. Was also ist Eifersucht? Lassen Sie sich überraschen. Einiges davon werden Sie in diesem Test erfahren, den Rest, der Ihnen dann noch fehlt, im Testergebnis.

### Testfragen

1) Kommt es vor, daß Sie beim Anblick eines glücklichen Paares ärgerlich werden, wenn Sie selbst gerade nicht glücklich sind?
o Ja o Nein

2) Sind Sie eher ärgerlich als in Sorge, wenn sich Ihr Partner verspätet?
o Ja o Nein

3) Haben Sie ein vorwurfsvolles Gefühl, wenn Ihr Partner mit Ihnen zusammen ein mürrisches oder leidendes Gesicht macht, aber sofort lächelt und heiter erscheint, sobald er mit einem Bekannten oder Verwandten telefoniert?

o Ja o Nein

4) Freut es Sie, wenn es Ihrem Partner auch ohne Sie gutgeht?

o Ja o Nein

5) Beobachten Sie genauer den Gesichtsausdruck, die Blickrichtung und die Körperhaltung Ihres Partners, wenn Sie in der Öffentlichkeit und also nicht mit ihm allein sind?

o Ja o Nein

6) Bemerken Sie meist noch vor Ihrem Partner, wenn sich ein Mensch Ihres Geschlechts für Ihren Partner interessiert?

o Ja o Nein

7) Glauben Sie, daß Ihr Partner sich völlig anders verhalten würde als er es jetzt tut, wenn Sie ihm alle Freiheiten gäben?

o Ja o Nein

8) Hätten Sie es gern, wenn Ihr Partner Ihnen mitteilen würde, wann er jemanden Ihres Geschlechts anziehend findet?

o Ja o Nein

9) Unterlassen Sie vieles, zum Beispiel Lächeln, Blickkontakt mit anderen, nur weil Sie wollen, daß Ihr Partner das auch nicht tut?

o Ja o Nein

10) Glauben Sie, daß es ein Beweis für die Liebe Ihres Partners ist, wenn er eifersüchtig ist?

o Ja o Nein

11) Können Sie sich vorstellen, daß Ihr Partner zu Ihnen zurückkommt, sollte er einmal einen Seitensprung machen und dabei sexuell mehr erleben als mit Ihnen?

o Ja o Nein

12) Mal ganz ehrlich, schauen Sie bisweilen nach, was Sie in den Taschen Ihres Partners finden?
o Ja o Nein

13) Würden Sie Ihrem Partner auch Gefühle und Gedanken mitteilen, die ihn kränken oder verletzen?
o Ja o Nein

14) Glauben Sie, daß Ihr Partner Ihnen auch dann treu bliebe, wenn Sie keinerlei Druck oder Kontrolle ausüben würden?
o Ja o Nein

15) Wenn Sie einmal mißtrauisch sind, glauben Sie dann, daß dieses Gefühl auch berechtigt ist?
o Ja o Nein

## Auflösung

1) Ja, 2) Ja, 3) Ja, 4) Nein, 5) Ja, 6) Ja, 7) Ja, 8) Ja, 9) Ja, 10) Ja, 11) Nein, 12) Ja, 13) Nein, 14) Nein, 15) Ja.

Für jede Übereinstimmung erhalten Sie einen Punkt.

## Testergebnis

*12 und mehr Punkte:*
Sie sind extrem eifersüchtig, und vermutlich glauben Sie an das Märchen, daß gerade das ein Beweis Ihrer großen Liebe ist. Da aber liegen Sie falsch. Es zeigt nur, daß Sie mehr mit Ihrem Kopf leben als mit Ihrem Herzen. Gut möglich, daß Sie wirklich lieben. Davon aber werden Sie wenig merken, denn die Liebe wird nicht vom Verstand gesteuert, sondern vom Gefühl. Solange Sie nach Beweisen suchen, also nach verstandesmäßig Faßbarem, werden Sie immer nur leer ausgehen.

*6–11 Punkte:*
Es gibt Phasen, in denen Sie eifersüchtig sind, aber auch solche, in denen Sie es nicht sind. Mit diesem Ergebnis ist vor allem sicher,

daß Sie nicht eifersüchtig sein *wollen*. Was aber machen Sie, wenn Sie es nun doch sind? Sie werden es vor sich und Ihrem Partner leugnen. Das aber ist keine Lösung. Sie sehen sehr richtig, daß Eifersucht nichts mit Liebe zu tun hat. Daraus folgt aber nicht, daß Sie lieben, nur weil Sie Ihre Gefühle verdrängen.

*Weniger als 6 Punkte:*
Sie haben Anwandlungen von Eifersucht. Aber Sie wissen, daß es eine Art von geistiger Umnachtung ist. Zumindest machen Sie Ihrem Partner keine Vorwürfe und klagen ihn nicht an, denn Sie sehen klar, daß es dafür nie einen Grund gibt. Entweder Sie bilden sich etwas ein, dann kann er nichts dafür, oder er liebt wirklich eine(n) andere(n) und auch dann trifft ihn keine Schuld. Mit dieser Haltung können Sie zwischen Phantasie und Wirklichkeit unterscheiden, und genau das kann echte Eifersucht nicht.

## 3. Wie halten Sie es mit der Wahrheit?

Viele Leute halten es nach dem Motto: „Was ich nicht weiß, macht mich nicht heiß." Auf eine erschreckende Weise haben sie damit sogar recht. Unaufrichtigkeit macht nämlich kalt. Das haben Psychologen und Sexualforscher herausgefunden. Es liegt ganz einfach daran, daß man zwar mit Worten, nicht aber mit Stimme, Augenausdruck und Hautfarbe lügen kann. All diese Signale nimmt man auf, wenn auch zumeist unbewußt.

Es ist dann nicht direkt die Unwahrheit, sondern der Kontrast zwischen den gesprochenen Worten und dem Körperausdruck, der krank, kalt oder verwirrt macht.

Dieser Test sagt Ihnen, wie Sie es damit halten.

### Testfragen

1) Reden Sie oft bei unangenehmen Themen mit sanfter, beschwichtigender Stimme?
○ Ja ○ Nein

2) Glauben Sie, daß Ihr Partner oft beleidigt oder verletzt wäre, wenn Sie ihm immer die volle Wahrheit sagen würden?
o Ja o Nein

3) Reden Sie darüber, wenn Sie das Gefühl haben, daß etwas nicht stimmt?
o Ja o Nein

4) Reagieren Sie mit Vorwurf und Anklage, wenn Ihnen Ihr Partner etwas „beichtet“?
o Ja o Nein

5) Ist Ihnen der Unterschied zwischen einer Lüge und einer Notlüge klar?
o Ja o Nein

6) Gesetzt den Fall, Ihr Partner hätte mit viel Mühe etwas für Sie gekocht, was dann ganz und gar nicht nach Ihrem Geschmack ist. Würden Sie's ihm sagen?
o Ja o Nein

7) Gibt es Themen in Ihrer Beziehung, über die nie gesprochen wird?
o Ja o Nein

8) Wenn Sie mit einer neuen Frisur nach Hause kommen und Ihr Partner sagt Ihnen offen, daß er die alte besser fand, sind Sie dann beleidigt oder verärgert?
o Ja o Nein

9) Ist es für Sie befriedigender, wenn Ihr Partner Ihre Wünsche errät?
o Ja o Nein

10) Sagen oder zeigen Sie im Sex deutlich, was Ihnen mehr bzw. weniger Spaß macht?
o Ja o Nein

11) Manche Leute beginnen jeden Satz mit „Äh“ oder „Also“, andere pfeifen immer, wenn ihnen etwas peinlich ist, und vielleicht haben auch Sie eine kleine, dumme Angewohnheit dieser Art. Wä-

ren Sie dankbar, wenn Ihr Partner Sie darauf aufmerksam machen würde?
o Ja o Nein

12) Jeder Mensch hegt bisweilen düstere Gedanken, ja sogar Verdächtigungen gegenüber dem anderen. Sprechen Sie das aus, wenn das bei Ihnen so ist?
o Ja o Nein

13) Selbst in der innigsten Liebesbeziehung gibt es Stunden, in denen man gar nichts fühlt. Können Sie mit Ihrem Partner offen darüber reden, wenn Sie in dieser Verfassung sind?
o Ja o Nein

14) Gibt es sexuelle Wünsche und Phantasien, über die Sie mit Ihrem Partner noch nie gesprochen haben?
o Ja o Nein

15) Gesetzt den Fall, Ihr Partner würde sich in der Öffentlichkeit so benehmen, daß es Ihnen peinlich ist, etwa im Restaurant zu laut reden oder nur mit der Gabel essen. Würden Sie ihm das sagen?
o Ja o Nein

**Auflösung**

1) Nein, 2) Nein, 3) Ja 4) Nein, 5) Nein, 6) Ja, 7) Nein, 8) Nein, 9) Nein, 10) Ja, 11) Ja, 12) Ja, 13) Ja, 14) Nein, 15) Ja.

Für jede Übereinstimmung erhalten Sie einen Punkt.

**Testergebnis**

*13 und mehr Punkte:*
Sie sind in Ihrer Partnerschaft vollkommen aufrichtig. Für Sie ist das keine Frage der Moral, sondern eine der gegenseitigen Achtung. Sie wissen, daß Liebe auch Schmerzen bringt und daß es nur Mißtrauen und Entfremdung gibt, wenn man so tut, als wäre man anders. Sie zeigen Ihr wahres Gesicht und vertrauen darauf, daß Sie so geliebt werden, wie Sie wirklich sind.

*6 – 12 Punkte:*
Sie möchten gern aufrichtig sein. Gleichzeitig aber wollen Sie Ihren Partner schonen und Streit und Konflikt um jeden Preis vermeiden. Beides zusammen aber geht nicht. Wichtiger ist noch, daß Sie mit dieser Art Schonung Ihrem Partner jede Möglichkeit nehmen, sich mit Ihnen und der Wirklichkeit auseinanderzusetzen. In diesem Punkt unterschätzen Sie bestimmt seine Fähigkeiten.

*Weniger als 6 Punkte:*
Sie sind nicht aufrichtig. Nicht aus Prinzip, sondern weil Ihnen Harmonie das Wichtigste auf der Welt ist. Sie sollten erkennen, daß die Harmonie, die weder Wahrheit noch Störung erträgt, mehr einer Illusion ähnelt. Erst in der wirklichen Auseinandersetzung zwischen zwei Menschen wächst die Harmonie, die dann so manches überstehen wird.

## 4. Kennen Sie sich selbst?

Nur wer sich selbst kennt, seine Wünsche, Bedürfnisse, seine Ängste und Sorgen, kann auch den Partner verstehen. Wer sich nicht kennt, versucht alles, um den Erwartungen des anderen gerecht zu werden. Auch bei größter Mühe kann das nicht gutgehen, denn man kann nur geben, was man wirklich hat, und annehmen, was man braucht.

Dieser Test sagt Ihnen, wieviel Selbsterkenntnis Sie haben und wie Sie sie erweitern können, wenn Sie es wollen.

### Testfragen

1) Kommt es häufig vor, daß Sie unangenehme Gedanken einfach beiseite schieben?
o Ja o Nein

2) Können Sie sich fast immer an Ihre Träume erinnern?
o Ja o Nein

3) Wissen Sie, welcher Fuß beim Aufstehen zuerst den Boden berührt?
o Ja o Nein

4) Wissen Sie, mit welcher Geste oder mit welchem Wort Sie zu sprechen beginnen?
o Ja o Nein

5) Können Sie auf Anhieb bei sich drei unangenehme Angewohnheiten benennen?
o Ja o Nein

6) Wenn Sie sich selbst auf Photos betrachten, haben Sie dann bisweilen das Gefühl, daß der Gesichtsausdruck nicht typisch für Sie ist?
o Ja o Nein

7) Bitte stellen Sie sich für einen Moment vor, es gäbe wirklich so etwas wie Schutzengel, einen für die Liebe, einen für die Gesundheit, einen anderen für beruflichen Erfolg usw.; lauter „übersinnliche Experten“ für die verschiedenen Bereiche des Lebens, und alle ganz ausschließlich nur für sie allein zuständig.

Würde es Ihnen schwerfallen, einen Versuch zu wagen und bei einem Problem einen dieser Schutzengel um Rat zu fragen?
o Ja o Nein

8) Wissen Sie genau, in welchen Situationen oder bei welchen Themen Sie oft wütend werden?
o Ja o Nein

9) Versuchen Sie manchmal, sich mit Willenskraft zu ändern oder zu bessern?
o Ja o Nein

10) Können Sie auf Anhieb fünf Wünsche nennen, die Sie sich durch eigene Anstrengungen erfüllen könnten (also nicht durch einen Lottogewinn)?
o Ja o Nein

11) Versuchen Sie häufig, unangenehme Gefühle so schnell wie möglich loszuwerden?
o Ja o Nein

12) Kennen Sie mindestens eine Verhaltensweise, die Sie immer wieder zeigen, obwohl Sie das gar nicht wollen?
o Ja o Nein

13) Finden Sie es albern, mit sich selbst zu reden?
o Ja o Nein

14) Können Sie genau benennen, welches Verhalten Ihres Partners, etwa ein bestimmtes Lächeln, ein besonderer Blick oder Gesichtsausdruck, bei Ihnen zärtliche Gefühle auslöst?
o Ja o Nein

15) Bitte stellen Sie sich zum Spaß folgende Möglichkeit vor: Sie sind kein in sich geschlossenes Wesen, sondern aus verschiedenen Persönlichkeitsteilen zusammengesetzt. Manchmal ist das „verspielte Kind“ am Ruder mit ganz bestimmten Eigenschaften und Verhaltensweisen, ein anderes Mal die „ernsthafte Hausfrau“ mit wieder anderen Eigenschaften und Gebaren.

Wenn Sie für einen Moment bei diesem Spiel bleiben, können Sie noch mindestens drei solcher „Persönlichkeiten“ mit unterschiedlichen Eigenschaften und Verhaltensweisen angeben?
o Ja o Nein

## Auflösung

1) Nein, 2) Ja, 3) Ja, 4) Ja, 5) Ja, 6) Nein, 7) Nein, 8) Ja, 9) Nein, 10) Ja, 11) Nein, 12) Ja, 13) Nein, 14) Ja, 15) Ja.

Für jede Übereinstimmung erhalten Sie einen Punkt.

## Testergebnis

*13 und mehr Punkte:*
Sie haben ein hohes Maß an Selbsterkenntnis. Gerade weil das so ist, wissen Sie, daß Sie noch voller Geheimnisse sind, und daß das

natürlich auch auf Ihren Partner zutrifft. Für Sie ist das eine spannende, abenteuerliche Sache, bei der es immer neue überraschende Entdeckungen zu machen gibt. Langeweile oder Routine kann bei Ihnen nicht aufkommen.

*7 – 12 Punkte:*
Manches haben Sie schon herausgefunden. Aber immer, wenn es wirklich Merkwürdiges oder Geheimnisvolles an Ihnen zu erkennen gäbe, schrecken Sie zurück. Dabei wäre gerade in diesen Situationen der Gewinn am größten. Haben Sie etwas mehr Mut! Es gibt nicht nur Unangenehmes zu entdecken. Auch Fähigkeiten und ungenutzte Möglichkeiten schlummern in Ihnen.

*Weniger als 7 Punkte:*
Sie haben eine klare Vorstellung von sich selbst, und die verteidigen Sie so gut Sie es können. Ohne Frage geben Sie sich dabei Mühe, versuchen sich zu ändern und zu bessern. Wenn das nicht klappt, dann liegt das nicht an Ihrer Schwäche, sondern daran, daß Sie es falsch anfangen. Vielleicht geht es auf andere Weise besser und leichter. Ein Experiment wäre das doch wert, oder? Versuchen Sie es doch einmal mit den Übungen aus den Fragen 7) und 15).

## 5. Halten Sie das Ruder fest in der Hand?

Nichts gegen Launen und Wünsche; sie haben durchaus ihren Reiz. Aber es ist gefährlich, sich völlig auf sie einzulassen. Damit gibt man das Ruder aus der Hand, und das hat stets schlimme Folgen. Es ist ein gewaltiger Unterschied, ob man dem Wunsch nach einem Stück Torte einfach nachgibt oder sich klar und verantwortungsbewußt dafür oder dagegen entscheidet. Das hat nichts mit Moral zu tun, sondern nur etwas mit sich gut oder schlecht fühlen.

In diesem Test erfahren Sie, wie fest Sie das Ruder in der Hand haben und was Sie möglicherweise besser machen können.

**Testfragen**

1) Wenn Ihnen der Gedanke kommt, Ihre Freundin anzurufen, tun Sie es dann auch sofort, ohne sich zu fragen, warum und ob es der richtige Zeitpunkt ist?
o Ja o Nein

2) Wissen Sie beim täglichen Einkauf stets schon beim Verlassen der Wohnung genau, was und wieviel Sie einkaufen werden?
o Ja o Nein

3) Wählen Sie in einer Fernsehzeitschrift im voraus, was Sie sich ansehen werden?
o Ja o Nein

4) Lassen Sie sich leicht ablenken?
o Ja o Nein

5) Machen Sie sich morgens einen Tagesplan, den Sie dann auch einhalten?
o Ja o Nein

6) Kommt es häufig vor, daß Sie außerhalb der Mahlzeiten eine Kleinigkeit essen?
o Ja o Nein

7) Überlegen Sie sich genau, wen Sie zu einer Geburtstagsfeier einladen?
o Ja o Nein

8) Überlegen Sie beim Sprechen, ob das, was Sie gerade sagen wollen, wirklich wichtig ist?
o Ja o Nein

9) Erledigen Sie unangenehme Dinge meistens sofort?
o Ja o Nein

10) Schlafen Sie am Wochenende meist entschieden länger als an Werktagen?
o Ja o Nein

11) Sagen Sie unangenehme Dinge ohne Umschweife gleich zu Beginn des Gespräches?

o Ja o Nein

12) Kommt es häufiger vor, daß Sie sich etwas vornehmen, etwa abzunehmen oder das Rauchen aufzugeben, ohne daß Sie es dann auch wirklich tun?

o Ja o Nein

13) Legen Sie sich jeden Abend Rechenschaft ab, was Sie mit Ihrem Tag angefangen haben?

o Ja o Nein

14) Bezahlen Sie üblicherweise Rechnungen prompt?

o Ja o Nein

15) Kommt es häufiger vor, daß Sie mit einer Arbeit beginnen, sie dann unterbrechen, um etwas anderes zu tun, einfach weil Sie Lust dazu haben?

o Ja o Nein

16) Lassen Sie sich durch Gefühle der Niedergeschlagenheit von Vorsätzen oder Arbeiten abbringen?

o Ja o Nein

17) Ertappen Sie sich oft bei Tagträumereien?

o Ja o Nein

18) Wissen Sie stets genau Bescheid, wieviel Geld Sie ausgegeben und wieviel Sie noch in der Tasche haben?

o Ja o Nein

19) Wissen Sie in etwa, wie lange Sie bleiben werden, wenn Sie Freunde oder Bekannte besuchen?

o Ja o Nein

20) Kommt es häufiger vor, daß Sie in Gesprächen etwas vergessen, das Sie zuvor hatten sagen wollen?

o Ja o Nein

## Auflösung

1) Nein, 2) Ja, 3) Ja, 4) Nein, 5) Ja, 6) Nein, 7) Ja, 8) Ja, 9) Ja, 10) Nein, 11) Ja, 12) Nein, 13) Ja, 14) Ja, 15) Nein, 16) Nein, 17) Nein, 18) Ja, 19) Ja, 20) Nein.

Für jede Übereinstimmung erhalten Sie einen Punkt.

## Testergebnis

*16 und mehr Punkte:*
Sie haben das Ruder Ihres Lebens fest in der Hand. Das ist weder spießig noch engstirnig, auch wenn viele Leute das glauben. Sie sind bestimmt und treffen bei allem, was Sie tun und lassen, klare Entscheidungen. Das ist Disziplin, aber es hindert Sie nicht am Genuß. Im Gegenteil, nur so kann man richtig und ohne Schuld- und Schamgefühl genießen.

*7–15 Punkte:*
Manchmal halten Sie das Ruder schon recht gut in der Hand, und eigentlich wissen Sie genau, wie gut Sie sich damit fühlen. Dann aber vergessen Sie es wieder, überlassen sich Ihren Launen und Stimmungen. Sie wissen dann nicht, warum es Ihnen so schlecht geht. Es gibt keinen Grund oder Anlaß, das Steuer jemals loszulassen, denn es macht wesentlich mehr Spaß, eine Pause einzulegen oder einen zu heben, wenn man sich bewußt dafür entschieden hat, als wenn man es einfach passieren läßt.

*Weniger als 7 Punkte:*
Sie halten das Ruder Ihres Lebens nicht in der Hand. Wenn Sie sich damit wohl fühlen und nicht in Schwierigkeiten geraten, ist alles bestens. Sollte dies nicht der Fall sein, dann liegt es bestimmt daran, daß Sie den Dingen passiv ihren Lauf lassen. Zu diesen Dingen gehören auch Ihre eigenen Stimmungen und Launen. Sich ohne bewußte Entscheidung nach ihnen zu richten, bringt manchmal kurzfristig Lustgewinn, auf Dauer aber nur ein Gefühl der Schwäche und Ohnmacht. Wenn Sie das ändern wollen, können Sie die Testfragen, für die Sie keinen Punkt bekommen haben, als Ratschläge nehmen.

## 6. Wie steht es mit Ihrem Selbstwertgefühl?

Nur wer sich selbst mag, wer seinen eigenen Wert kennt, kann offen und ehrlich mit sich und anderen umgehen. Deshalb lohnt sich jede Bemühung, in dieser Verfassung zu sein und alles zu unterlassen, was das eigene Selbstwertgefühl untergräbt. Aber genauso wichtig ist es, das Selbstwertgefühl der anderen zu fördern, und zwar ganz einfach weil es schwer und anstrengend ist, Menschen um sich zu haben, die sich selbst nicht mögen.

Dieser Test sagt Ihnen, wie hoch Ihr Selbstwertgefühl ist und was Sie möglicherweise besser machen können.

**Testfragen**

1) Sehen Sie fremden Menschen auf der Straße häufig in die Augen?
○ Ja ○ Nein

2) Achten Sie peinlich genau darauf, daß mit Ihrer Kleidung stets alles bestens in Ordnung ist?
○ Ja ○ Nein

3) Sitzen Sie zumeist gerade oder zurückgelehnt?
○ Ja ○ Nein

4) Müssen Sie auf der Straße etwas in der Hand halten, eine Tasche oder wenigstens einen Autoschlüssel, um sich gut zu fühlen?
○ Ja ○ Nein

5) Schreiten Sie energisch ein, wenn sich in einer Schlange jemand vordrängelt?
○ Ja ○ Nein

6) Halten Sie Vorsätze gewöhnlich ein?
○ Ja ○ Nein

7) Kommt es vor, daß Sie unangenehme Briefe erst einmal ungeöffnet liegen lassen?
○ Ja ○ Nein

8) Können Sie auf Anhieb mindestens zwei Fehler bei sich finden, die Sie gern loswerden wollen?
o Ja o Nein

9) Müssen Sie sich überwinden, einen Fremden auf der Straße um eine Auskunft zu bitten?
o Ja o Nein

10) Glauben Sie, daß es den meisten Leuten mit Ihnen besser geht als ohne Sie?
o Ja o Nein

11) Sagen Sie es Freunden oder Familienmitgliedern deutlich und klar, wenn Sie etwas stört?
o Ja o Nein

12) Sind Sie oft beleidigt?
o Ja o Nein

13) Würde es Ihnen angst machen, vierzehn Tage in völliger Einsamkeit ohne Fernseher, Zeitschriften und Bücher etwa in einer Klosterzelle oder einer Berghütte zu leben?
o Ja o Nein

14) Ist es Ihnen peinlich, wenn andere sehen, daß Sie gerade unglücklich sind?
o Ja o Nein

15) Setzen Sie sich regelmäßig Ziele, die Sie dann auch energisch anstreben?
o Ja o Nein

16) Fühlen Sie sich in einem Wartezimmer oder Fahrstuhl unsicher?
o Ja o Nein

17) Sagen Sie es Ihrem Partner oder Ihren Freunden deutlich, wenn Sie in Ruhe gelassen werden wollen?
o Ja o Nein

18) Können Sie auf Anhieb drei Wünsche nennen, die sich in den nächsten Monaten bestimmt erfüllen werden?
○ Ja ○ Nein

19) Schauen Sie im Gespräch Ihren Partner meistens an?
○ Ja ○ Nein

20) Haben Sie häufig Schuld- oder Schamgefühle?
○ Ja ○ Nein

**Auflösung**

1) Ja, 2) Ja, 3) Ja, 4) Nein, 5) Ja, 6) Ja, 7) Nein, 8) Ja, 9) Nein, 10) Ja, 11) Ja, 12) Nein, 13) Nein, 14) Nein, 15) Ja, 16) Nein, 17) Ja, 18) Ja, 19) Ja, 20) Nein.

Für jede Übereinstimmung erhalten Sie einen Punkt.

**Testergebnis**

*16 und mehr Punkte:*
Sie haben ein ausgezeichnetes Selbstwertgefühl. Das hat überhaupt nichts mit Eigenlob oder Einbildung zu tun, schon gar nichts mit Selbstverherrlichung. Sie kennen ganz einfach Ihren Wert, und das ist gut und richtig so. Und natürlich sind Sie nicht so auf die Welt gekommen. Sie mußten und müssen allerhand dafür tun und vieles unterlassen, was andere bei sich durchgehen lassen.

*7–15 Punkte:*
Sie schwanken stark in Ihrem Selbstwertgefühl.Das liegt nicht nur an äußeren Umständen. Allerdings kann der häufige Umgang mit Menschen, die ein geringes Selbstwertgefühl haben, ansteckend wirken. Wichtiger aber dürfte sein, wie Sie mit sich selbst umgehen. Was Sie da ändern können, wenn Sie es wollen, lesen Sie bitte in „Weniger als 7 Punkte“.

*Weniger als 7 Punkte:*
Sie haben ein schlechtes Selbstwertgefühl. Das sollten Sie unbedingt ändern und nicht mit Bescheidenheit verwechseln. Es ist für

Sie und andere wichtig, daß Sie sich gut und wertvoll fühlen. Wenn Sie das wollen, hier einige Ratschläge:

1. Nehmen Sie sich jeden Tag etwas vor, und führen Sie es auch durch.
2. Erledigen Sie, was getan werden muß, sofort.
3. Schieben Sie etwas auf, was Sie eigentlich gleich tun möchten.
4. Sagen Sie unangenehme Dinge, die gesagt werden müssen, ohne Umschweife.
5. Reden Sie nur, wenn Sie etwas wirklich Wichtiges mitzuteilen haben.

## 7. Sind Sie ein guter Gesprächspartner?

Miteinander reden ist mehr als nur Informationsaustausch. Es passiert etwas dabei, das einen entweder belebt und zufrieden macht oder das zu Unwohlsein und sogar Krankheit führen kann. Ob es zum Guten oder Schlechten führt, hängt so gut wie überhaupt nicht vom Inhalt des Gesprochenen ab, sondern nur von der Art, *wie* man miteinander redet. Ob einer sagt: „Ich sehe, daß Du die Augenbrauen hochziehst, und frage mich, ob Du meine Worte bezweifelst", oder ob er fragt: „Was hast Du denn", sind Beispiele für gute oder schlechte Arten des Miteinanderredens.

Dieser Test sagt Ihnen, ob ihre Art zu reden förderlich oder weniger gut ist, und wie Sie es besser machen können.

### Testfragen

1) Haben Sie oft den Eindruck, genau zu fühlen, was mit anderen los ist?
○ Ja ○ Nein

2) Unterbrechen Sie Ihren Partner häufig mitten im Satz?
○ Ja ○ Nein

3)Wenn Ihr Partner mit leidendem Gesichtsausdruck sagt, daß es ihm gutgeht, machen Sie ihn dann auf diesen Widerspruch

zwischen seinen Worten und seinem Gesichtsausdruck aufmerksam?
○ Ja ○ Nein

4) Übergehen Sie es häufig, wenn Ihr Partner etwas sagt oder tut, das Ihnen unangenehm ist?
○ Ja ○ Nein

5) Wenn Sie sich uneinig sind und darüber reden, wiederholen Sie dann, was Ihr Partner gesagt hat, und fragen, ob Sie ihn richtig verstanden haben?
○ Ja ○ Nein

6) Kommt es häufig vor, daß Sie im Streit nach einiger Zeit nicht mehr wissen, worum es eigentlich gegangen ist?
○ Ja ○ Nein

7) Schauen Sie Ihren Partner beim Gespräch so an, daß Sie die Veränderungen in seinem Gesicht, etwa wenn er blasser oder röter wird, erkennen?
○ Ja ○ Nein

8) Sagen Sie alle Dinge so, daß der Klang Ihrer Stimme zum Inhalt paßt?
○ Ja ○ Nein

9) Stellen Sie häufig Fragen, wenn Sie eigentlich etwas wollen, zum Beispiel „Wollen wir heute ausgehen?“, obwohl Sie meinen: „Ich möchte heute gern ausgehen, wie steht's mit Dir?“
○ Ja ○ Nein

10) Werden Sie im Gespräch mit Ihrem Partner oft müde?
○ Ja ○ Nein

11) Passiert es häufiger, daß Sie den Faden verlieren, nicht mehr wissen, was Sie gerade sagen wollten?
○ Ja ○ Nein

12) Sagen Sie Ihrem Partner, was sie glauben, daß er gerade denkt?
○ Ja ○ Nein

13) Glauben Sie, daß es nützlich wäre, einmal ein ganz normales Gespräch auf Tonband aufzunehmen und dann abzuhören?
o Ja o Nein

14) Können Sie sich erinnern, in der vergangenen Woche mindestens drei Dinge ausgesprochen zu haben, die Sie an Ihrem Partner mögen?
o Ja o Nein

15) Glauben Sie meistens, daß Sie genau verstehen, was Ihr Partner meint, wenn er etwas sagt?
o Ja o Nein

## Auflösung

1) Nein, 2) Nein, 3) Ja, 4) Nein, 5) Ja, 6) Nein, 7) Ja, 8) Ja, 9) Nein, 10) Nein, 11) Nein, 12) Ja, 13) Ja, 14) Ja, 15) Nein.

Für jede Übereinstimmung erhalten Sie einen Punkt.

## Testergebnis

*12 und mehr Punkte:*
Sie haben eine gute und förderliche Art des Miteinanderredens. Sie nennen die Dinge ohne Umschweife beim Namen. Sie sagen, was Sie wollen, fühlen und denken, und Sie fragen nach, ob Ihre Vermutungen richtig sind, die Sie über Ihren Partner haben. Natürlich ist das keine Garantie für dauernde Harmonie. Ganz im Gegenteil werden Sie mit dieser Art am ehesten bestehende Konflikte erkennen, aber wahrscheinlich auch lösen können.

*6 – 11 Punkte:*
Sie können vieles tun, um die Art Ihrer Gesprächsführung zu verbessern. Damit würde es Ihnen und auch Ihrem Partner besser gehen. Lassen Sie sich nicht davon täuschen, daß es Ihnen manchmal ja im Gespräch auch gutgeht. Wenn es hart auf hart kommt, also wenn strittige Punkte oder Konflikte anstehen, wird Ihre Art zu reden kaum zu Lösungen führen. Was Sie besser machen können, lesen Sie bitte in „Weniger als 6 Punkte“.

*Weniger als 6 Punkte:*
Die Art Ihres Gesprächsstils ist nicht förderlich, weder für sich noch für Ihren Partner. Wenn Sie das ändern wollen, achten Sie auf folgendes:

1. Drücken Sie Ihre Gefühle offen und direkt aus, sprechen Sie mit der dazugehörigen Stimmlage, wenn Sie sich ärgern, und sagen Sie genau, worüber Sie sich gerade ärgern.
2. Stellen Sie keine Fragen, wenn Sie in Wirklichkeit Wünsche und Bedürfnisse äußern wollen.
3. Spielen Sie nicht den Hellseher, sondern fragen Sie Ihren Partner, ob er wirklich das denkt oder fühlt, was Sie glauben.
4. Sehen Sie Ihrem Partner beim Gespräch ins Gesicht, und achten Sie auf alle Veränderungen.
5. Sagen Sie es ihm, wenn sie in seinem Gesicht etwas erkennen, was er nicht ausspricht.

## 8. Sind Sie gut „bei Sinnen"?

Sinnlichkeit und Sex sind nicht dasselbe. Allerdings wird Sex um so erfüllender sein, je sinnlicher man ist. Welche Bedeutung Sinnlichkeit auch für den ganz normalen Alltag hat, wird schon in Begriffen wie „bei Sinnen" oder „von Sinnen sein" deutlich. Völlig zu Recht meint damit der Volksmund, daß nur derjenige richtig liegt, der hauptsächlich seine Sinne benutzt und erst dann seinen Kopf.

In diesem Test erfahren Sie, wieviel Gebrauch Sie von Ihren Sinnen machen und wie Sie sinnlicher werden können.

### Testfragen

1) Können Sie auf Anhieb die Augenfarbe von fünf Freunden oder Bekannten angeben?
○ Ja ○ Nein

2) Wenn Sie sich am Strand eincremen, tun Sie das dann langsam und mit Genuß?
○ Ja ○ Nein

3) Berühren Sie bisweilen zärtlich Ihren eigenen Körper?
o Ja o Nein

4) Wenn Sie sich an einen Ort erinnern, an dem es Ihnen sehr gut gegangen ist, können sie dann ganz deutlich und mit Einzelheiten Bilder sehen oder die Töne hören, die es dort gab?
o Ja o Nein

5) Achten Sie bei Stoffen, die Sie direkt an Ihrer Haut tragen, also Unterwäsche, Socken usw., sehr genau auf das Körpergefühl, das sie hervorrufen?
o Ja o Nein

6) Wären Sie bereit, für Schuhe den doppelten Preis auszugeben, wenn sie darin tatsächlich besser gehen könnten?
o Ja o Nein

7) Haben Sie sich bei der Einrichtung Ihres Wohnzimmers Gedanken darüber gemacht, ob die einzelnen Stücke farblich zueinander passen?
o Ja o Nein

8) Wenn Sie jetzt auf Ihren Körper achten, können Sie dann mindestens fünf Stellen angeben, an denen Sie gar nichts fühlen?
o Ja o Nein

9) Können Sie sich exakt so, als würden Sie es tatsächlich hören, die Stimme Ihrer Mutter vorstellen, wenn sie Ihren Namen ausspricht?
o Ja o Nein

10) Halten Sie die Lippen meist geschlossen, wenn Sie nicht reden oder essen?
o Ja o Nein

11) Ist Ihr Atem normalerweise in Ruhestellung tief und lang, so daß sich dabei der Bauch hebt und senkt?
o Ja o Nein

12) Glauben Sie, daß Sie mit geschlossenen Augen nur am Geruch Menschen erkennen, die Ihnen nahestehen?
○ Ja ○ Nein

13) Erkennen Sie meist schon an kleinen Veränderungen von Geräuschen und Vibrationen, wenn etwas mit Ihrem Wagen nicht stimmt?
○ Ja ○ Nein

14) Betrachten Sie im Gespräch das Gesicht Ihres Partners so, daß Sie seine Augenbewegungen und Veränderungen der Pupillengröße, der Hautfarbe und der Lippengröße mitbekommen
○ Ja ○ Nein

15) Bemerken Sie, welche Wirkungen es hat, wenn jemand im Gespräch sein Sprechtempo verändert?
○ Ja ○ Nein

## Auflösung

1) Ja, 2) Ja, 3) Ja, 4) Ja, 5) Ja, 6) Ja, 7) Ja, 8) Ja, 9) Ja, 10) Nein, 11) Ja, 12) Ja, 13) Ja, 14) Ja, 15) Ja.
Für jede Übereinstimmung erhalten Sie einen Punkt.

## Testergebnis

*13 und mehr Punkte:*
„Übung macht den Meister." Das gilt auch für die Sinnlichkeit. Sie gebrauchen Ihre Sinne und sind deshalb ein Meister. In diesem Fall aber macht es auch noch Spaß, bringt Lebens- und Sinnenfreude. Das Großartige an den Sinnen ist, daß es nicht nur immer Neues wahrzunehmen gibt, sondern daß die Sinne dadurch selbst mit jedem Tag sensibler werden.

*7–12 Punkte:*
Sie gebrauchen Ihre Sinne, aber hauptsächlich um sich damit in der Welt zurechtzufinden. Sicher sind sie auch dafür gut, aber man

kann entschieden mehr und Lustvolleres damit anfangen. Wenn Sie das wollen, lesen Sie bitte die Kategorie „Weniger als 7 Punkte“.

*Weniger als 7 Punkte:*
Sie haben bisher wenig Gebrauch von Ihren Sinnen gemacht, und es ist nur natürlich, daß sie bei Nichtgebrauch abstumpfen. Dann macht es keinen Spaß mehr, zu sehen oder zu hören. Es ist einem dann buchstäblich „Sehen und Hören vergangen“. Am leichtesten können Sie Ihre Sinne mit folgenden Übungen wieder zum Leben erwecken:

1. Stellen Sie sich eine Zahl, ein grünes Dreieck, einen gelben Kreis, ein rotes Quadrat drei Minuten lang bildlich vor.
2. Versuchen Sie, die Stimme Ihres Partners, Meeresrauschen, Regen auf einem Autodach, das Knarren einer Tür in ihrer Vorstellung zu hören.
3. Stellen Sie sich vor, Sie würden mit Ihrer Hand Glas, Samt, Schmirgelpapier, die Haut eines lieben Menschen berühren.

Das wird Ihnen zunächst schwerfallen, aber Sie werden merken, daß Sie sofort danach schon besser sehen, hören und tasten können.

## 9. Haben Sie Lebensfreude? (Positives Denken)

Es ist kein gütiges Schicksal, wenn jemand viel Lebensfreude besitzt. Es ist ihm auch nicht vorbestimmt oder angeboren. Er selbst ist der Urheber, und zwar durch positive Gedanken. Bekanntlich sind die Gedanken frei, und jeder hat die Wahl, sich gute oder unangenehme Gedanken zu machen. Wie es danach weitergeht, steht uns jedoch nicht mehr frei, sondern folgt zwingend aus den Gedanken. Das Merkwürdige ist, daß Menschen mit überwiegend positiven Gedanken sich nicht einfach nur besser fühlen, sondern auch gute Ereignisse wie ein Magnet anziehen. Das Gleiche gilt natürlich auch für Menschen mit düsteren Gedanken; wer sich viele furchtsame Gedanken über Krankheiten macht, wird leichter krank als einer, der an den sonnigen Urlaub denkt.

Dieser Test sagt Ihnen, wie Sie es damit halten und was Sie tun können, um mehr Lebensfreude zu haben.

## Testfragen

1) Fällt es Ihnen leicht, an eine schöne Situation aus der Vergangenheit zurückzudenken?
o Ja o Nein

2) Kommt es oft vor, daß Sie sorgenvoll an die Zukunft denken?
o Ja o Nein

3) Wachen Sie oft mit einem freudigen Gefühl auf, in neugieriger Erwartung, was der Tag wohl bringen wird?
o Ja o Nein

4) Sind Sie in Ihren Träumen häufig auf eine unerklärliche Weise glücklich?
o Ja o Nein

5) Reden Sie mit sich selbst meist gütig und liebevoll?
o Ja o Nein

6) Machen Sie sich oft Vorwürfe, daß Sie etwas hätten besser oder anders tun sollen?
o Ja o Nein

7) Glauben Sie, daß in jeder Situation, auch der unangenehmsten, irgend etwas Gutes und Nützliches zu finden ist?
o Ja o Nein

8) Glauben Sie, daß alle Erfahrungen, die Sie gemacht haben, auch die schmerzlichen und traurigen, Sie reicher gemacht haben?
o Ja o Nein

9) Kommt es häufig vor, daß ein Gedanke oder eine Vorstellung Sie augenblicklich in eine heitere, beschwingte Stimmung versetzt?
o Ja o Nein

10) Wenn sie sich unwohl fühlen, kommt Ihnen dann oft der sorgenvolle Gedanke an eine schwere Krankheit?
o Ja o Nein

11) Halten Sie es für möglich, daß Sie allein durch gütige, verzeihende Gedanken Einfluß auf das Gefühl und Verhalten anderer haben könnten?
○ Ja ○ Nein

12) Gibt es in Ihrem Leben einen Menschen oder mehrere, dem oder denen Sie etwas nicht verziehen haben?
○ Ja ○ Nein

13) Glauben Sie, daß Sie öfter als andere ungerecht behandelt worden sind?
○ Ja ○ Nein

14) Fürchten Sie bei einem Mißerfolg vor allem das Gefühl, versagt zu haben?
○ Ja ○ Nein

15) Können Sie sich eine angenehme zukünftige Situation so lebhaft vorstellen, daß Sie dabei gute Gefühle bekommen?
○ Ja ○ Nein

16) Glauben Sie, daß man aus jedem Fehler, den man macht, etwas lernen kann?
○ Ja ○ Nein

17) Kommt es manchmal vor, daß Sie sich in guter Stimmung plötzlich fragen, ob das nicht Einbildung ist?
○ Ja ○ Nein

18) Reden Sie oft über unangenehme Dinge wie Krankheit, Katastrophen oder ähnliches?
○ Ja ○ Nein

**Auflösung**

1) Ja, 2) Nein, 3) Ja, 4) Ja, 5) Ja, 6) Nein, 7) Ja, 8) Ja, 9) Ja, 10) Nein, 11) Ja, 12) Nein, 13) Nein, 14) Nein, 15) Ja, 16) Ja, 17) Nein, 18) Nein.

Für jede Übereinstimmung erhalten Sie einen Punkt.

**Testergebnis**

*15 und mehr Punkte:*
Sie haben eine durchweg positive Einstellung zum Leben und damit sicher viel Lebensfreude. Ihnen käme es nicht in den Sinn, zu fragen, ob es Einbildung ist. Sie wissen genau, daß alles, was passiert, am Anfang Einbildung war, das Gute ebenso wie das Unangenehme. Mit diesem Wissen ist es dann nur natürlich, sich lieber gute Sachen einzubilden als unangenehme.

*7 – 14 Punkte:*
Sie schwanken in Ihrer Einstellung. Man könnte auch sagen, Sie sind nicht wählerisch in Ihren Gedanken. Wenn sie gut sind, geht es Ihnen gut, und bei düsteren geht es Ihnen schlecht. Das ist natürlich. Vermutlich haben Sie sich noch nicht klargemacht, daß Gedanken keine Schicksalsmächte sind. Man muß sie auch nicht ertragen wie das Wetter. Schließlich sind es *Ihre* Gedanken, und Sie ganz allein bestimmen, ob Sie sich unangenehme oder angenehme Vorstellungen machen wollen.

*Weniger als 7 Punkte:*
Wenn sie sich oft traurig, bedrückt oder ängstlich fühlen, dann sicher deshalb, weil Sie sich so viele düstere Gedanken machen. Wahrscheinlich werden Sie sich für besonders realistisch halten. Dieser Irrtum ist naheliegend, denn die negativen Dinge, an die Sie denken, gibt es ja tatsächlich. Aber ebenso real sind all die schönen Dinge, und es liegt an Ihnen, wenn Sie an diese nur selten denken. Und da es ja gute und schlimme Dinge gibt, ist doch jemand, der so oft an gute denkt, wie Sie an schlechte denken, genauso realistisch. Mit einer positiveren Lebenseinstellung können also auch Sie mehr Lebensfreude und angenehmere Erlebnisse haben.

## 10. Wieviel Einfühlungsvermögen haben Sie?

Menschen mit großem Einfühlungsvermögen sind keine Hellseher. Sie haben auch nichts Übersinnliches an sich, sie benutzen einfach nur ihre Sinne. Das tun sie allerdings gründlicher als die meisten anderen. Man kann nämlich buchstäblich im Gesicht lesen, welche Gefühle jemand hat, ob er nachdenkt und, in gewissem Sinne sogar, worüber. Das ist nicht etwa eine besondere Gabe. Jeder kann es, auch Sie, und zwar sofort. Augen haben Sie ja schon, Sie müssen sie nur noch richtig benutzen.

Dieser Test sagt Ihnen, wie stark Ihr Einfühlungsvermögen entwickelt ist und wie Sie es steigern können.

## Testfragen

1) Wenn jemand im Gespräch etwas glasige Augen bekommt und so schaut, als würde er durch Sie hindurchsehen, bedeutet das dann, daß er sich gerade an etwas erinnert?
o Ja o Nein

2) Achten Sie auf die Atemgeschwindigkeit Ihres Gesprächspartners?
o Ja o Nein

3) Ist Ihnen schon einmal aufgefallen, daß sich Ihre Gefühle verändern, wenn Ihr Gesprächspartner plötzlich die Sprechgeschwindigkeit ändert?
o Ja o Nein

4) Wenn sich die Pupillen vergrößern, ist das dann ein Zeichen von erhöhter Erregung?
o Ja o Nein

5) Wenn Sie jemandem zuhören, achten Sie dann auch auf den Klang der Stimme?
o Ja o Nein

6) Ist Ihnen schon einmal aufgefallen, daß manche Menschen mit einer Stimme reden, bei der man sich stets langweilt, gleichgültig, wie interessant die Mitteilungen auch sind?
o Ja o Nein

7) Haben Sie häufiger bemerkt, daß Sie ein ungutes Gefühl bekommen, wenn jemand etwas sagt, aber der Klang der Stimme oder der

Gesichtsausdruck nicht dazu paßt, etwa wenn er sagt „Ich freue mich“ und dabei ein saures Gesicht macht?

o Ja o Nein

8) Wenn sich das Gesicht eines Menschen plötzlich rötet, ist das dann ein Zeichen für angenehme Gefühle?

o Ja o Nein

9) Kommt es häufiger vor, daß Sie selbst ganz traurig und niedergeschlagen werden, wenn Sie mit jemandem zusammen sind, der gerade in dieser Stimmung ist?

o Ja o Nein

10) Wissen Sie meistens schon ohne zu fragen genau, was Ihr Partner fühlt?

o Ja o Nein

11) Ist Ihnen schon aufgefallen, daß sich die Lippengröße bei jeder Veränderung der Gefühls- oder Stimmungslage verändert?

o Ja o Nein

12) Können Sie sich vorstellen, daß man mit jedem Menschen ein Gefühl von Harmonie erzeugen kann, allein dadurch, daß man exakt so atmet wie er?

o Ja o Nein

13) Ist Ihnen schon einmal aufgefallen, daß alle Menschen ganz bestimmte Augenbewegungen machen, wenn sie sich an etwas erinnern, sich etwas vorstellen oder an etwas denken, das nicht gerade hier und jetzt passiert?

o Ja o Nein

14) Kennen Sie Menschen, bei denen Sie fast immer etwas müde werden, obwohl es ansonsten ganz angenehm mit ihnen ist?

o Ja o Nein

15) Achten Sie bei Gesprächen auch darauf, welche Gefühle und Empfindungen Sie selbst dabei haben?

o Ja o Nein

### Auflösung

1) Ja, 2) Ja, 3) Ja, 4) Ja, 5) Ja, 6) Ja, 7) Ja, 8) Ja, 9) Nein, 10) Nein, 11) Ja, 12) Ja, 13) Ja, 14) Ja, 15) Ja.

Für jede Übereinstimmung erhalten Sie einen Punkt.

### Testergebnis

*12 und mehr Punkte:*
Sie haben ein ausgezeichnetes Einfühlungsvermögen. Genaugenommen *sehen* Sie, was im anderen vorgeht, und das ist sehr gut so. Nur dadurch können Sie richtig und fördernd auf den anderen eingehen. Es hilft ja niemandem, wenn man in Anwesenheit eines Niedergeschlagenen selbst deprimiert wird, und genau das geschieht, wenn man nicht richtig hinsieht.

*6 – 11 Punkte:*
Genaugenommen ist es kein Einfühlungsvermögen, was Sie haben. Das soll nicht heißen, daß Sie nicht mitfühlend sind. Das sind Sie sogar in hohem Maße. Die Frage ist nur, ob das gut und nützlich ist. Sie übernehmen leicht die Gefühle der anderen, und wenn die gut sind, ist es ein Gewinn. Wenn sie aber schlecht sind, fühlen auch Sie sich nicht gut. Wenn Sie daran etwas ändern wollen, lesen Sie Kategorie „Weniger als 6 Punkte".

*Weniger als 6 Punkte:*
Sie haben Ihr Einfühlungsvermögen bisher nicht ausgebildet. Sie glauben einfach, Sie wüßten, was im anderen vorgeht. Wenn Sie wirklich einfühlsam sein wollen, achten Sie beim Gespräch auf folgendes:

1. Achten Sie auf alle Veränderungen im Gesicht Ihres Partners, wie Augenbewegungen, Pupillengröße, Hautfarbe, Lippengröße.
2. Achten Sie auf Veränderungen im Atemrhythmus.
3. Achten Sie auf Veränderungen im Sprechtempo.
4. Achten Sie auf den Klang der Stimme.
5. Achten Sie darauf, ob die Worte mit dem Klang der Stimme und dem Gesichtsausdruck übereinstimmen.

Wenn Sie all dies bemerken, haben Sie wirklic. Einfühlungsvermögen und sind nicht mehr auf Vermutungen angewiesen.

# II. Sind Sie zur Liebe fähig?

Während es im vorigen Abschnitt um Fähigkeiten ging, handelt diese Testbatterie von Strategien. Wenn jemand in der Schule Lesen gelernt hat, dann verfügt er fortan über die Fähigkeit des Lesens. Die Art und Weise, *wie* er dann liest, ob konsumierend oder kritisch, gedankenlos oder ordnend, fortlaufend oder diagonal, das ist seine Lesestrategie.

Menschen sind um so reicher und flexibler, je mehr Strategien sie in einer bestimmten Situation zur Verfügung haben. Andererseits gilt: Je besser man eine Strategie beherrscht, desto stärker neigt man dazu, sie zu wiederholen und andere zu vernachlässigen. Wer viel Einfühlungsvermögen besitzt, den Partner in vielen Bereichen wortlos versteht, vernachlässigt oft das klärende Gespräch. Und ebenso gilt, daß einer, der den Partner zu motivieren und zu begeistern vermag, die Strategie der Hingabe und des Sich-führenlassens ungeübt läßt.

Wenn wir von unserem Partner etwas wünschen, gleichgültig ob es um Sex, Verständnis, Zärtlichkeit oder darum geht, in Ruhe gelassen zu werden, wir bekommen es mit der richtigen Verhaltensstrategie. Und wenn wir es nicht bekommen, dann weil unsere Strategie nicht angemessen war.

Diese Testserie zeigt Ihnen, welche Strategien Sie entwickelt und welche Sie vernachlässigt haben.

## 1. Verstehen Sie Ihren Partner wortlos?

### Testfragen

1) Beim Einkaufsbummel haben Sie im Gedränge Ihren Partner verloren. Was würden Sie tun?
a) Zuhause auf ihn warten.
b) Mir überlegen, was er nun tun wird.
c) An der Stelle warten, wo ich ihn verloren habe.

2) Manche Leute merken sogar am Telefon, wenn der Gesprächspartner nicht ganz aufrichtig ist. Woran erkennen solche Leute das?
a) Es ist einfach ein Gefühl.
b) Am Klang der Stimme.
c) An den Widersprüchen.

3) Woran kann man erkennen, daß es zwischen zwei Leuten, die sich gerade kennengelernt haben, gefunkt hat?
a) Daran, daß beide die gleiche Körperhaltung einnehmen, im selben Augenblick zum Glas greifen usw.
b) Daran, daß sie sich häufig in die Augen sehen.
c) Daran, daß sie viel lachen.

4) Paare, die sich ganz besonders gut verstehen, berühren sich:
a) Stets nur, wenn es beiden gutgeht.
b) Oft, um den anderen zu trösten.
c) So oft sie können.

5) Woran erkennen Sie, daß Ihr Partner Ihnen gerade interessiert zuhört?
a) An seinem interessierten Gesichtsausdruck.
b) An seinen Bemerkungen.
c) An seinen Augenbewegungen.

6) Wenn Ihr Partner auf Ihre Frage, ob er mit Ihnen ins Kino gehen wolle, mit ja antwortet, dabei aber einen gequälten Gesichtsausdruck hat, wie bewerten Sie das?
a) Er will schon, ist aber etwas müde.
b) Er sagt nicht die Wahrheit.
c) Er ist im Konflikt.

7) Woran erkennen Sie, daß Ihr Partner Lust auf Sex hat?
a) Wenn er's mir sagt.
b) An der Veränderung seiner Gesichtsfarbe, der Lippen und Pupillengröße.
c) An einem ganz bestimmten Gefühl.

8) Woran erkennen Sie, daß Ihr Partner sich im Gespräch gerade in Gedanken mit ganz anderen Dingen beschäftigt?

a) Daran, daß er unkonzentriert wirkt.
b) Am Blick.
c) Daran, daß ich gereizt werde.

9) Wenn sich bei einem Menschen die Nasenflügel bewegen, dann ist das ein Zeichen dafür daß er
a) gelangweilt ist;
b) wütend ist;
c) sich an einen Geruch erinnert.

10) Wie würden Sie reagieren, wenn Ihr Partner im Gespräch plötzlich deutlich blasser wird und seine Lippen schmaler werden?
a) Es übergehen.
b) Ihn fragen, was er hat.
c) Sagen: „Ich sehe gerade, daß Du blaß wirst..."

11) Was, meinen Sie, bedeutet es, wenn Sie Ihrem Partner anschaulich von einem Erlebnis berichten und er dabei immer wieder nach oben an die Decke blickt?
a) Er langweilt sich.
b) Er sieht im Geist die Bilder, von denen ich spreche.
c) Er hört aufmerksam zu.

12) Was, glauben Sie, bedeutet es, wenn Ihr Partner plötzlich schneller zu atmen beginnt?
a) Er erlebt ein intensives Gefühl.
b) Er wird ungeduldig.
c) Er ist erregt.

## Auflösung

| Antwort / Fragen | a) | b) | c) |
|---|---|---|---|
| 1 | 1 | 3 | 2 |
| 2 | 2 | 3 | 1 |
| 3 | 3 | 2 | 1 |
| 4 | 3 | 1 | 2 |
| 5 | 2 | 1 | 3 |
| 6 | 1 | 2 | 3 |
| 7 | 1 | 3 | 2 |
| 8 | 1 | 3 | 2 |
| 9 | 1 | 2 | 3 |
| 10 | 1 | 2 | 3 |
| 11 | 1 | 3 | 2 |
| 12 | 3 | 1 | 2 |

## Testergebnis

*29 und mehr Punkte:*
Sie verstehen Ihren Partner auch ohne Worte, ja genaugenommen fängt Verstehen unter Menschen erst jenseits von Worten an. Noch wichtiger aber ist, daß Sie wissen, wie Sie zu diesem Verstehen kommen, nämlich durch klares Sehen und Hören.

*18 – 28 Punkte:*
Oft haben Sie ein ganz klares Gefühl und dennoch das Problem,

nicht zu wissen, ob Sie damit richtig liegen oder falsch. Diese Unsicherheit liegt daran, daß Ihnen nicht bewußt ist, daß Ihre Augen und Ohren Ihnen alle nötigen Informationen gegeben haben. Wenn Sie einmal darauf achten, werden Sie verstehen, *wie* Sie zu Ihren Gefühlen kommen, und damit all Ihre Unsicherheit verlieren.

*17 und weniger Punkte:*
Sie versuchen, Ihren Partner vor allem durch Worte zu verstehen und übersehen dabei, daß 93 Prozent aller Mitteilungen, die Menschen austauschen, nicht sprachlicher Natur sind, und daß das außerdem noch die wichtigeren Mitteilungen sind. Wenn Sie Ihren Partner wirklich verstehen wollen, ist es unerläßlich, auf seine Gesten, seine Augenbewegungen, die Veränderungen in seiner Gesichtsfarbe und denen von Lippen und Pupillengröße zu achten. Sobald Sie damit beginnen, werden nicht nur Sie ein anderes Gefühl haben, auch Ihr Partner wird sich plötzlich mehr beachtet und besser verstanden fühlen.

## 2. Wie sicher sind Sie sich Ihres Partners?

### Testfragen

1) Sie sehen ein entzückendes, verliebtes Paar. Was erleben sie?
a) Ein angenehmes Gefühl.
b) Ein unangenehmes Gefühl, Trauer.
c) Sie sehen solche Paare nicht.

2) Sie durchwühlen Ihre Handtasche und finden dabei alte Kinokarten und Fahrkarten usw., die Sie an bestimmte Situationen erinnern. Was tun Sie?
a) Sie werfen Sie weg.
b) Es fällt Ihnen schwer, sich davon zu trennen.
c) Sie heben sie auf.

3) Was halten Sie selbst von Eifersucht?
a) Sie ist normal.

b) Sie ist leider unvermeidlich.
c) Ich bin nie eifersüchtig und habe deshalb auch keine Meinung darüber.

4) Auf einer Party bemerken Sie, daß sich jemand intensiv um Ihren Partner bemüht. Ihrem Partner scheint dies Spaß zu machen. Was erleben Sie?
a) Angst.
b) Wut.
c) Angst und Freude.

5) Die gleiche Frage wie 4). Was tun Sie?
a) Sie lassen der Sache ihren Lauf.
b) Sie suchen sich auch einen Flirt.
c) Sie schreiten sofort ein.

6) Wenn Ihr Partner jemals einen Seitensprung machen würde (hier ist ein einzelnes Erlebnis gemeint), sollte er Ihnen davon berichten?
a) Auf jeden Fall.
b) Mir ist es lieber, nichts davon zu erfahren.
c) Nur wenn er es will.

7) Sollten Sie jemals einen Seitensprung machen, wie würden Sie sich dann verhalten wollen?
a) Ich würde auf keinen Fall davon berichten.
b) Ich würde in jedem Fall davon berichten.
c) Ich hätte das Bedürfnis, es zu berichten, aber nicht den Mut.

8) Ihr Partner verspätet sich um zwei Stunden, was erleben Sie in dieser Zeit?
a) Nichts Besonderes.
b) Ich habe Angst, ihm könnte etwas zugestoßen sein.
c) Ich bin wütend.

9) Sie sind auf einer Party eingeladen und nun wegen einer dringlichen Arbeit verhindert. Ihr Partner würde gern hingehen, möchte Sie aber auch nicht verletzen, indem er Sie allein läßt. Wie verhalten Sie sich?

a) Ich unterstütze seinen Wunsch hinzugehen.
b) Ich verhalte mich passiv.
c) Ich bitte ihn zu bleiben.

10) Sie bemerken, daß sich zwischen Ihrem Partner und einer dritten Person ein Flirt anbahnt. Ihr Partner scheint völlig ahnungslos zu sein. Wie verhalten Sie sich?
a) Abwartend.
b) Ich mache meinen Partner darauf aufmerksam.
c) Ich kann mir eine solche Situation nicht vorstellen.

**Auflösung**

| Antwort / Fragen | a) | b) | c) |
|---|---|---|---|
| 1 | 0 | 1 | 2 |
| 2 | 0 | 1 | 2 |
| 3 | 2 | 1 | 0 |
| 4 | 1 | 2 | 0 |
| 5 | 0 | 1 | 2 |
| 6 | 1 | 2 | 0 |
| 7 | 2 | 0 | 1 |
| 8 | 0 | 2 | 1 |
| 9 | 0 | 2 | 1 |
| 10 | 0 | 1 | 2 |

### Testergebnis

*0–3 Punkte:*
Sie sind sich Ihres Partners sicher, und das auf die richtige Weise. Ihre Sicherheit hat nichts mit Illusionen zu tun, sie gründet sich nur auf Ihre Selbständigkeit und auf Ihre Fähigkeit zu vertrauen.

*4–8 Punkte:*
Sie haben es nicht gerade leicht. Sie fühlen sich bisweilen unsicher mit Ihrem Partner, zugleich aber wollen Sie dieses Gefühl leugnen. Vermutlich liegt das daran, daß Sie instinktiv fühlen, daß Ihre Unsicherheit etwas mit Ihrem mangelnden Selbstwertgefühl zu tun hat, nur wird Leugnen das nicht bessern.

*9–14 Punkte:*
Vermutlich wissen Sie nicht, daß Sie sich bisweilen unsicher fühlen und das, weil Sie in entsprechenden Situationen eher eifersüchtig sind. Eifersucht ist zwar unangenehm, aber scheinbar ein klareres Gefühl als Unsicherheit.

*15 und mehr Punkte:*
Sie sind ausgesprochen unsicher, ohne sich das klarzumachen. Wo andere Leute unsicher wären, fühlen Sie sich zumeist ganz sicher, nämlich darin, daß sich Ihr Partner von Ihnen abwendet. Und Sie meinen dann, ein Recht auf Ärger und Groll zu haben. Das haben Sie nicht, wohl aber ein Recht auf Unsicherheit.

## 3. Wieviel Veränderung können Sie ertragen?

### Testfragen

1) Stellen Sie sich folgende Situation vor: Ihr Zug, für den Sie Liegewagenkarten haben, soll um 18 Uhr fahren. Mit dem Taxi geraten Sie in einen Stau, und die Zeit verstreicht, ohne daß Sie irgend etwas tun können. Sie wissen, daß Sie nicht rechtzeitig ankommen werden, wenn sich der Stau nicht augenblicklich auflöst. Was glauben Sie, würde in Ihrem Kopf vorgehen?

a) Irgendwie wird es wohl noch klappen.
b) Es kann nicht mehr gutgehen.
c) Bald werd' ich's wissen.

2) Was tun Sie, wenn Sie schlaflos im Bett liegen und wissen, daß am Morgen ein harter Arbeitstag auf Sie wartet?
a) Ich rauche oder stehe auf, um etwas zu essen oder zu trinken.
b) Ich bin gereizt und ärgerlich, versuche alles, um einzuschlafen.
c) Ich tue nichts, liege einfach nur im Bett.

3) Sicher kennen Sie das. Ein Ihnen ganz geläufiger Begriff, vielleicht eine Telefonnummer oder ein Buchtitel, ist Ihnen gerade in dem Augenblick entfallen, in dem Sie ihn dringend brauchen. Wie gehen Sie mit dem in solchen Situationen auftretenden spannungsvollen Unlustgefühl um?
a) Ich versuche alles, um mir das Vergessene wieder ins Gedächtnis zu rufen.
b) Ich versuche mich abzulenken.
c) Da ich nichts ändern kann, lebe ich es aus.

4) Bitte stellen Sie sich folgende Situation für einige Minuten so deutlich wie möglich vor: Durch einen Unglücksfall haben Sie all Ihren Besitz und Ihr Erspartes verloren, und keine Versicherung kommt dafür auf. Bitte grübeln Sie nicht darüber nach, was das für ein Unglücksfall sein könnte. Es ist einfach eingetreten, und sie besitzen nichts mehr außer Ihre Kenntnisse und Erfahrungen. Begeben Sie sich in der Phantasie in diese Situation und lassen Sie Vorstellungen, Gefühle und Stimmungen aufsteigen. Welches von den sicher verschiedenartigen Gefühlen war das stärkste?
a) Ein prickelndes Gefühl von Freiheit und Abenteuer.
b) Ein Gefühl von Gleichgültigkeit.
c) Ein Gefühl von düsterer Beklemmung.

5) Wenn Sie eine ganz alltägliche Gesundheitsstörung erleben wie zum Beispiel Grippe, Erkältung, Magenbeschwerden usw., in welche Richtung gehen dann am ehesten Ihre Gedanken, bevor die Diagnose gestellt ist?
a) Ich gerate dabei leicht in Angst und Verstimmung.
b) Ich sage mir meist, daß es nichts Ernsthaftes ist.

c) Ich halte immer auch für möglich, daß es etwas Lebensgefährliches ist, aber das versetzt mich nicht in Unruhe.

## Auflösung

| Antwort / Fragen | a) | b) | c) |
|---|---|---|---|
| 1 | 1 | 2 | 3 |
| 2 | 2 | 1 | 3 |
| 3 | 1 | 2 | 3 |
| 4 | 3 | 1 | 2 |
| 5 | 2 | 1 | 3 |

## Testergebnis

*6 und weniger Punkte:*
Sie tun sich schwer mit Veränderungen. Da das Leben aber fortlaufend Veränderungen mit sich bringt, versuchen Sie es mit einem Kunstgriff. Sie erwarten stets das Unangenehmste und meinen, dann wären Sie vor Enttäuschungen sicher. Das sind Sie, nur ziehen Sie sie damit geradezu an.

*7–11 Punkte:*
Sie glauben, Veränderungen gegenüber aufgeschlossen zu sein, tatsächlich aber neigen Sie zu der Illusion, daß sich die Veränderungen nur im Sinne Ihrer Wünsche vollziehen werden. Das ist natürlich nicht der Fall. Veränderungen können all Ihre Wünsche über den Haufen werfen; das Verrückte daran ist, daß die Veränderungen am Ende noch die Erfüllung Ihrer Wünsche weit übertreffen können.

*12 und mehr Punkte:*
Sie können Veränderungen sehr gut ertragen, und das hat vor allem mit Ihrem Vertrauen zu tun. Sie fühlen, daß Vertrauen nicht bedeutet, daß alles so kommen wird, wie Sie es wollen oder vorhergesehen haben, sondern daß die Dinge, die in Ihrem Leben passieren, auf geheimnisvolle Weise zu Ihnen passen, bisweilen sogar noch dann, wenn sie weh tun.

## 4. Können Sie sich selbst in Stimmung bringen?

### Testfragen

1) Setzen Sie sich entspannt auf einen Stuhl. Schließen Sie die Augen, atmen Sie drei- bis viermal so tief wie möglich ein und aus. Jetzt atmen Sie wieder normal. Achten Sie nun darauf, welche Körperempfindungen Sie haben. Registrieren Sie das mit wortlosem Sprechen, etwa: „Jetzt spüre ich ein Kribbeln in der Hand“, „Jetzt spüre ich ein Zucken in meiner Wange“, „Jetzt spüre ich einen Druck im Magen“. ... Beginnen Sie jeden Satz mit „Jetzt spüre ich“.
a) Ich habe intensive Gefühle, Empfindungen oder Erlebnisse gehabt.
b) Ich habe Gefühle, Empfindungen oder Erlebnisse gehabt, aber sofort wieder vergessen, welche.
c) Ich habe Gefühle, Empfindungen oder Erlebnisse gehabt, aber nicht verstanden, warum.
d) Die Testaufgabe ist langweilig.
e) Die Testaufgabe ist ärgerlich.

2) Setzen Sie sich entspannt hin und achten Sie darauf, was Sie gerade in diesem Augenblick wahrnehmen. Legen Sie sich darüber Rechenschaft ab, etwa folgendermaßen: „Jetzt nehme ich Licht und Schatten auf dem Teppich wahr“, „Jetzt höre ich, wie das Geräusch eines Motorrades näher kommt“, „Jetzt spüre ich die Wärme, die von der Zigarettenglut ausgeht“ usw.
a) Ich habe intensive Gefühle, Empfindungen oder Erlebnisse gehabt.

b) Ich habe Gefühle, Empfindungen oder Erlebnisse gehabt, aber sofort wieder vergessen, welche.
c) Ich habe Gefühle, Empfindungen oder Erlebnisse gehabt, aber nicht verstanden, warum.
d) Die Testaufgabe ist langweilig.
e) Die Testaufgabe ist ärgerlich.

3) Machen Sie sich klar, in welcher Stimmung Sie sich gerade in diesem Augenblick befinden. Stellen Sie das regelrecht fest, etwa so: „Ich fühle mich gerade etwas gelangweilt", „Jetzt bin ich gespannt", „Jetzt habe ich gar keine Lust, mir Rechenschaft zu geben" usw. Schließen Sie nun die Augen und denken Sie an irgendein Erlebnis in der Vergangenheit. Wie fühlen Sie sich jetzt, während Sie in der Erinnerung bei dem vergangenen Erlebnis sind?
a) Ich habe intensive Gefühle, Empfindungen oder Erlebnisse gehabt.
b) Ich habe Gefühle, Empfindungen oder Erlebnisse gehabt, aber sofort wieder vergessen, welche.
c) Ich habe Gefühle, Empfindungen oder Erlebnisse gehabt, aber nicht verstanden, warum.
d) Die Testaufgabe ist langweilig.
e) Die Testaufgabe ist ärgerlich.

4) Setzen oder stellen Sie sich in dem Raum, in dem Sie sich gerade aufhalten, so hin, daß sie möglichst viel sehen können. Lassen Sie nun Ihre Augen im Raum umherwandern. Beobachten Sie nicht, machen Sie im Kopf keine Liste der Gegenstände, die Sie sehen, sondern versuchen Sie herauszufinden, beim Anblick welcher Gegenstände Sie Lust oder Unlust empfinden.
a) Ich habe intensive Gefühle, Empfindungen oder Erlebnisse gehabt.
b) Ich habe Gefühle, Empfindungen oder Erlebnisse gehabt, aber sofort wieder vergessen, welche.
c) Ich habe Gefühle, Empfindungen oder Erlebnisse gehabt, aber nicht verstanden, warum.
d) Die Testaufgabe ist langweilig.
e) Die Testaufgabe ist ärgerlich.

### Auflösung

Für jede a-Antwort: 5 Punkte
Für jede b-Antwort: 4 Punkte
Für jede c-Antwort: 3 Punkte
Für jede d-Antwort: 2 Punkte
Für jede e-Antwort: 1 Punkt

Errechnen Sie nun bitte Ihre Gesamtpunktzahl.

### Testergebnis

*Weniger als 9 Punkte:*
Sie machen es sich schwer, sich in Stimmung zu bringen. Das liegt nicht etwa daran, daß Sie keine Stimmungen haben, sondern daran, daß Sie bisweilen nicht erkennen, *daß* Sie sie haben. Langeweile und Ärger sind Gefühle, die auch *Sie* haben, und nur wenn Sie das erkennen, können Sie etwas ändern.

*9 – 15 Punkte:*
Eigentlich könnten Sie sich in jede gewünschte Stimmung versetzen, Ihr Problem ist nur, daß Sie Ihre Gefühle und Stimmungen nicht ernst genug nehmen, so daß Sie sie sofort wieder vergessen. Dafür gibt es keinen Grund.

*16 und mehr Punkte:*
Sie können sich in Stimmung versetzen. Das liegt daran, daß Sie sich Ihrer Gefühle und Stimmungen bewußt sind. Damit sind Sie in der beneidenswerten Lage, bestimmen zu können, wodurch Sie sich gut oder schlecht fühlen, und das gibt Ihnen die Möglichkeit, die Dinge in Ihrem Sinne zu verändern.

## 5. Wie gut können Sie Ihren Partner erheitern?

### Testfragen

1) Stellen Sie sich vor, Ihr Partner kommt äußerst übellaunig nach Hause und Sie möchten ihn gerne aufheitern. Mit welcher der drei

folgenden Methoden glauben Sie, würde das am ehesten klappen?
a) Ich zeige mich betont gutgelaunt und laß mich darin nicht beirren.
b) Ich sage ihm, er solle erst mal ein bißchen allein bleiben und sich wieder melden, wenn er in besserer Stimmung ist.
c) Ich imitiere in den ersten dreißig Sekunden seinen Gesichtsausdruck und seine Tonlage und verändere dann beides allmählich.

2) Sie sind mit Ihrem Partner in einem Restaurant, und er kann sich einfach nicht entscheiden, was er wählen soll. Wie glauben Sie, können Sie ihm am besten helfen?
a) Ich erinnere ihn, daß nicht allzuviel von seiner Entscheidung abhängt.
b) Ich bestelle etwas, das er sonst stets gern ißt.
c) Ich gehe mit ihm die Speisekarte durch und bitte ihn, sich vorzustellen, wie die Dinge aussehen, riechen und schmecken.

3) Ihr Partner schaut Sie schon seit einiger Zeit nicht mehr richtig an. Das möchten Sie gern ändern. Wie gehen Sie vor?
a) Ich sage es ihm und auch, daß es mich stört.
b) Ich schlage ihm ein „Experiment" vor, er soll mich in den nächsten zwei Stunden auf gar keinen Fall anschauen.
c) Ich sage: „Schau doch mal her, fällt Dir gar nichts auf?"

4) Es ist Sonntagnachmittag, weit und breit keine geöffnete Apotheke, und Ihr Partner bekommt heftige Kopfschmerzen. Was tun Sie?
a) Ich rate ihm, sich abzulenken.
b) Ich sage ihm, ich könnte es heilen, aber dazu müßte er zuvor drei Minuten lang auf meine Fingerspitzen schauen.
c) Ich rate ihm, sich nicht dagegen zu wehren.

5) Ihr Partner erwacht aus einem schrecklichen Alptraum, und auch im Wachzustand verfolgen ihn die quälenden Bilder. Was tun Sie?
a) Ich mache überall Licht, stelle Musik an und bringe ihm etwas zu trinken oder zu essen.
b) Ich frage ihn, woran ihn die Bilder erinnern.
c) Ich mache ihm klar, daß es nur ein Traum war.

6) Sie haben den Eindruck, daß sich in Ihrer Partnerbeziehung in letzter Zeit Gewohnheit und Routine eingeschlichen haben. Was tun Sie?
a) Ich verändere mein Verhalten radikal.
b) Ich bitte meinen Partner, etwas zu ändern.
c) Ich sage meinem Partner, daß wir über dieses Problem einmal in aller Ruhe reden müssen.

**Auflösung**

| Antwort / Fragen | a) | b) | c) |
|---|---|---|---|
| 1 | 1 | 2 | 3 |
| 2 | 2 | 1 | 3 |
| 3 | 2 | 3 | 1 |
| 4 | 1 | 3 | 2 |
| 5 | 3 | 2 | 1 |
| 6 | 3 | 1 | 2 |

**Testergebnis**

*8 und weniger Punkte:*
So werden Sie Ihren Partner bestimmt nicht erheitern, obwohl Sie besten Willens sind. Bei Mißstimmungen helfen weder Ihre gute Laune noch die besten Argumente. Damit kann sich Ihr Partner nur mißverstanden fühlen. „Spiegeln“ ist das Geheimnis, und es bedeutet, daß Sie für eine Minute die Körperhaltung, den Gesichtsausdruck oder die Tonlage Ihres mißgelaunten Partners übernehmen müssen, bevor Sie behutsam etwas ändern. Nur dies schafft ein Gefühl von Verständnis und Vertrauen bei Ihrem Partner.

*9–14 Punkte:*
Sie wollen mit sich keine Psychospiele spielen lassen, und das ist sicher gut so. Wenn Sie zur Erreichung dieses Zieles aber nur Rückzug und Konfrontation zur Verfügung haben, dann werden Sie vielleicht sich selbst bei Laune halten können, auf keinen Fall aber reicht das aus, Ihren Partner zu erheitern.

*15 und mehr Punkte:*
Sie machen es ganz intuitiv richtig, und es gelingt Ihnen fast immer, Ihren Partner in angenehme Stimmung zu versetzen. Sie wissen, daß man eine rollende Kugel nur mit großem Aufwand anhalten und dann in die entgegengesetzte Richtung bewegen kann. Einfacher ist es, ihre Richtung zu verändern, so daß sie eine Kurve beschreibt. Genauso machen Sie's auch mit den Gefühlen Ihres Partners. Sie gehen erst ein Stück mit, und dann ändern Sie die Richtung, und natürlich kann Ihnen dann Ihr Partner nur dankbar sein.

# 6. Wie geborgen fühlen Sie sich?

## Testfragen

1) Welchen Platz bevorzugen Sie in einem Restaurant?
a) Mit dem Rücken zur Wand.
b) In der Mitte des Raumes.
c) Möglichst direkt am Ausgang.

2) Gesetzt den Fall, es gäbe noch leere Straßen und Sie könnten mit dem Auto fahren, wie es Ihnen gefällt. Mit welcher Geschwindigkeit würden Sie dann am ehesten fahren?
a) Eher langsamer als jetzt.
b) Eher schneller als jetzt.
c) Manchmal rasen und bisweilen im Spaziergängertempo.

3) Welches ist Ihre bevorzugte Sitzhaltung?
a) Aufrecht.
b) Eher zurückgelehnt.
c) Eher vorgebeugt.

4) Stellen Sie sich bitte vor, Sie werden auf der Straße oder im Supermarkt von vielen Leuten merkwürdig angesehen. Welcher Gedanke ginge Ihnen am ehesten durch den Kopf?
a) Ich bin heute offenbar sehr attraktiv.
b) Irgend etwas scheint heute mit mir nicht zu stimmen.
c) Das bilde ich mir nur ein.

5) Bitte stehen Sie für einen Augenblick auf. Schließen Sie die Augen, strecken Sie die Arme nach vorn aus und versuchen Sie circa dreißig Sekunden auf einem Bein zu stehen. Wie ging das?
a) Keine fünf Sekunden.
b) Es ging ohne Probleme.
c) Es ging, aber mit dem Gefühl, gleich zu fallen.

6) Wenn Sie durch die Straßen gehen, wie oft haben Sie dann Blickkontakt zu fremden Menschen?
a) So gut wie nie.
b) Bisweilen.
c) Fast ständig.

7) Wie reagieren Sie, wenn ein Polizeiwagen länger als eine Minute hinter Ihnen fährt?
a) Gar nicht.
b) Ich verhalte mich normal.
c) Ich fühle mich beklommen.

8) Wie würden Sie reagieren, wenn eine fremde Person lächelnd und mit ausgestreckter Hand auf Sie zukäme?
a) Ich wüßte nicht, was ich tun soll.
b) Ich würde sagen: „Hallo, meinen Sie mich?"
c) Ich würde mich umdrehen und schauen, ob jemand hinter mir gemeint ist.

9) Haben Sie irgendwann in Ihrem Leben ganz deutlich gefühlt, daß Sie von einer höheren Macht beschützt oder geführt werden?
a) Ja.
b) Nein.
c) Ich erinnere mich nicht genau, aber es kommt mir so vor.

10) Wenn Sie jemanden kennenlernen, sind Sie dann:
a) Zunächst eher vorsichtig.
b) Zunächst erst einmal vertrauensvoll.
c) Zunächst unentschieden.

11) Wie oft haben Sie das Gefühl, daß im Grunde doch eigentlich alles ganz wunderbar ist?
a) Manchmal.
b) Nie.
c) Oft.

12) Was halten Sie von der Behauptung, daß man im Leben nichts geschenkt bekommt, daß man für alles bezahlen muß?
a) Dem stimme ich zu.
b) Dem stimme ich nicht zu.
c) Ich glaube, daß es von der eigenen Einstellung abhängt, ob der Satz zutrifft oder nicht.

## Auflösung

| Antwort / Fragen | a) | b) | c) |
|---|---|---|---|
| 1 | 1 | 3 | 2 |
| 2 | 1 | 2 | 3 |
| 3 | 2 | 3 | 1 |
| 4 | 3 | 1 | 2 |
| 5 | 1 | 3 | 2 |
| 6 | 1 | 2 | 3 |
| 7 | 3 | 2 | 1 |
| 8 | 2 | 3 | 1 |
| 9 | 3 | 1 | 2 |
| 10 | 1 | 3 | 2 |
| 11 | 2 | 1 | 3 |
| 12 | 1 | 2 | 3 |

## Testergebnis

*16 und weniger Punkte:*
Sie fühlen sich nicht geborgen. Das ist harmlos, wenn es eine vorübergehende Stimmung ist. Es ist aber bedenklich, wenn es ein Dauerzustand wird. Für fehlende Geborgenheit gibt es zwei mögliche Gründe:
1) Äußere Umstände. Wenn man mit Menschen zusammenlebt, die einen nicht akzeptieren und achten, wird man sich nicht geborgen fühlen können.

2) Manchmal fühlen sich Menschen auch dann nicht geborgen, wenn Umstände und Umgebung stimmen. Das ist stets dann der Fall, wenn man mit sich selbst im Kampf liegt.

*17–29 Punkte:*
Sie glauben, daß Geborgenheit stets das Ergebnis der äußeren Umstände ist. Daraus resultiert, daß Sie leicht anderen die Schuld geben, wenn Sie sich nicht geborgen fühlen. Wenn man sich nur manchmal nicht geborgen fühlt, dann liegt es fast nie an anderen, sondern so gut wie immer daran, daß man den Draht zu sich selber verloren hat.

*30 und mehr Punkte:*
Sie fühlen sich geborgen. Zu einem Teil liegt das sicher an der Wärme, die Sie von Ihren Nächsten bekommen. Das allein erklärt aber solch ein Lebensgefühl noch nicht. Sie sind in Fühlung mit Ihren tieferen Quellen, was man je nach Geschmack „das Unbewußte", „die Seele" oder auch „das Göttliche" nennen mag. Welchen Namen man auch verwendet, ohne diese Ebene gibt es keine Geborgenheit.

## 7. Können Sie richtig streiten?

Sicher kennen Sie das: Am Anfang wissen Sie noch, was Sie wollen und worum es geht, dann gibt ein Wort das andere, und plötzlich weiß niemand mehr, was er eigentlich wollte. Das ist natürlich kein guter Streit, und so fühlt man sich danach: konfus und erschöpft. Streit muß aber nicht so sein. Er kann zu völlig neuen Einsichten führen, er kann beleben – sogar die Liebe. Das gelingt aber nur, wenn man sich von den Worten nicht benebeln läßt, wenn man fähig und willens ist, bei Sinnen zu bleiben.

### Testfragen

1) Womit, glauben Sie, bekommen Menschen am ehesten, was sie wollen?
a) Wenn sie genau wissen, was sie wollen.

b) Wenn sie überzeugen können.
c) Wenn sie bescheiden sind.

2) Wenn Sie sich gestritten haben, fühlen Sie sich danach dann meistens:
a) Schlechter.
b) Genauso.
c) Besser.

3) Welche Art des Einkaufens ist Ihnen am angenehmsten?
a) Vorher klar zu wissen, was ich kaufen will, mit einer klaren Idee, was es maximal kosten darf.
b) Einfach herumgehen, zu schauen und mich inspirieren zu lassen.
c) Ungefähr zu wissen, was ich will, aber mit der Bereitschaft, mich hin und wieder „verführen“ zu lassen.

4) Welche Art von Streit hat die besten Aussichten, ein gutes Ende zu nehmen?
a) Wenn einer genau weiß, daß er im Recht ist.
b) Wenn beide genau wissen, was sie wollen.
c) Wenn beide einfach mal sehen wollen, was dabei herauskommt.

5) Mit welcher Frage kann man am leichtesten herausbekommen, ob der andere anständig streiten oder nur zanken will?
a) „Können wir denn nicht ruhig darüber reden?“
b) „Glaubst du etwa, mir macht das Spaß?“
c) „Was genau willst du?“

6) Zum richtigen Streiten muß man natürlich einander zuhören. Woran erkennen Sie, daß der andere Ihnen zuhört?
a) Das fühle ich.
b) Daran, daß er sich auf meine Worte bezieht.
c) Daran, daß er gefühlsmäßig auf mich reagiert, zum Beispiel ruhiger wird, wenn ich es werde.

7) Woran erkennen Sie, daß Sie selbst nicht zuhören?
a) Daran, daß mir alle möglichen Erinnerungen einfallen.
b) Das kommt bei mir nicht vor.
c) Daran, daß ich nicht weiß, was mein Partner gerade gesagt hat.

8) Mit welcher Strategie glauben Sie, wird ein Streit am besten geschlichtet?
a) Man macht dem anderen in Ruhe klar, daß es eigentlich keinen Grund zum Streiten gibt.
b) Man findet heraus, in welchen Punkten man sich einig ist.
c) Man überzeugt den anderen geduldig davon, daß er etwas falsch sieht.

9) Es gibt sprachliche Angewohnheiten, die ohne böse Absicht stets nur Verwirrung stiften. Welches der folgenden Sprachmuster tut das am meisten?
a) „Kannst du mir vielleicht mal sagen, wie ich das machen soll?"
b) „Immer wenn wir streiten, sagst du..."
c) „Ja, das glaub' ich schon, aber..."

10) Woran erkennen Sie, daß Sie eine Lösung des Streits gefunden haben?
a) Daran, daß mir ein völlig neuer Einfall kommt.
b) Daran, daß der andere nachgibt.
c) Daran, daß ich keine Lust mehr habe.

**Auflösung**

| Antwort / Fragen | a) | b) | c) |
|---|---|---|---|
| 1 | 3 | 2 | 1 |
| 2 | 1 | 2 | 3 |
| 3 | 3 | 1 | 2 |
| 4 | 1 | 3 | 2 |
| 5 | 2 | 1 | 3 |
| 6 | 1 | 2 | 3 |
| 7 | 3 | 1 | 2 |
| 8 | 2 | 3 | 1 |
| 9 | 1 | 2 | 3 |
| 10 | 3 | 1 | 2 |

**Testergebnis**

*14 und weniger Punkte:*
Streiten ist nicht gerade Ihre starke Seite. Leider heißt das nicht, daß Sie es selten tun. Es gibt einen klaren Unterschied zwischen Zank und Streit. Streit kann zu produktiven Lösungen führen, Zank nicht. Und wer falsch streitet, gerät automatisch in Zank. Wenn Sie gern zanken, ist das okay, wenn Sie aber lieber richtig streiten wollen, lesen Sie „27 und mehr Punkte".

*15 – 26 Punkte:*
Sie haben bestimmt die besten Absichten, aber wie Sie aus Erfahrung sicher wissen, reicht guter Wille allein nicht aus. Was Ihnen

unbewußt immer wieder passiert: Wörter werden zu Auslösern von unangenehmen Gedanken und Gefühlen. Damit verlieren Sie dann Über- und Durchblick. Dagegen gibt es nur ein Mittel, das aber garantiert funktioniert: Bleiben Sie bei Sinnen, benutzen Sie Ihre Augen und Ihre Ohren und nicht Ihren Kopf, um zu erkennen, was mit Ihrem Partner los ist.

*27 und mehr Punkte:*
Sie können richtig streiten, denn Sie wissen, worauf es ankommt. Sie behalten im Auge, worum es geht, was *Sie* wollen und Ihr Partner, und Sie vergessen nie all die Punkte, bei denen Sie sich völlig einig sind. Sie benutzen einen Streit nicht, um aufgestaute Gefühle wie Ärger und Wut abzulassen. Bei alldem verlieren Sie sich nicht in Worten und Gedanken, sondern Sie bleiben bei klarem Verstand, benutzen Ihre Augen und Ohren.

## 8. Wissen Sie, was Sie aufregt?

Wir alle haben Grenzen, und wir geraten in Angst, Verwirrung oder Wut, wenn unsere Grenzen überschritten werden. Diese Grenzen des Erträglichen lassen sich verschieben, aber nur dann, wenn man sie kennt. Und es ist ein ungeheurer Unterschied, erkannte Grenzen zu erweitern oder die eigenen Grenzen zu leugnen. Das Leugnen führt dazu, daß man schließlich nicht mehr weiß, *was* einen aufregt. Ein mieses Gefühl, dessen Ursache man nicht kennt, ist entschieden schwerer zu ertragen als eines, bei dem man weiß, wo es herkommt.

### Testfragen

1) Stellen Sie sich vor, Sie betreten einen Raum mit vielen fremden Menschen, und im Augenblick Ihres Eintretens verstummen alle und schauen sich nach Ihnen um. Wie würden Sie wohl reagieren?
a) Ich hätte vermutlich ein unangenehmes Gefühl.
b) Ich würde mich zusammenreißen.
c) Ich würde mir sagen, daß es Zufall ist.

2) Stellen Sie sich vor, Sie betreten einen Fahrstuhl, in dem schon sechs Leute sind. Wohin schauen Sie?
a) Ich schaue mir die Leute an.
b) Nirgendwohin.
c) Auf die Stockwerkanzeige.

3) Stellen Sie sich vor, Sie wären zehn Minuten lang in einem völlig dunklen und absolut schallisolierten Raum eingeschlossen. Was glauben Sie, würden Sie erleben?
a) Vermutlich nichts, wenn ich wüßte, daß in zehn Minuten alles vorbei ist.
b) Vermutlich recht fremdartige Gefühle.
c) Wahrscheinlich Langeweile.

4) Viele moderne Psychologen sind der Meinung, daß alle Leute alles bekommen könnten, was sie wollen, wenn sie nur klar zu ihren Wünschen stehen und sie sich lebhaft ausmalen würden. Was halten Sie davon?
a) Mag stimmen, bleibt aber noch zu fragen, ob es richtig und anständig ist.
b) Schön wär's.
c) Das ist in mancher Hinsicht sicherlich wahr.

5) Können Sie sich vorstellen, daß Ihr Partner irgendwann einmal einen Seitensprung macht?
a) Ja.
b) Nur, wenn ich ihm Anlaß gebe.
c) Nein.

6) Gesetzt den Fall, ein Freund würde an Ihnen eine kleine, aber recht unangenehme Angewohnheit erkennen (wie zum Beispiel ein Räuspern vor jedem Satz, ständiges Wegschauen im Gespräch oder etwas in dieser Richtung), die Ihnen selbst noch nie aufgefallen ist. Wie würden Sie darauf reagieren?
a) Ich fände es völlig in Ordnung.
b) Ich hätte ein unangenehmes Gefühl.
c) Ich würde ihm sagen, daß er recht hat.

7) Wie sollte man Ihrer Meinung nach am besten mit Ärger umgehen?
a) Man sollte sich so weit kontrollieren können, daß man in jeder Situation die Form wahren kann.
b) Man sollte seinen Ärger in fruchtbare Auseinandersetzungen verwandeln können.
c) Man sollte seinen Ärger fühlen und voll ausleben.

**Auflösung**

| Antwort / Fragen | a) | b) | c) |
|---|---|---|---|
| 1 | 3 | 2 | 1 |
| 2 | 2 | 1 | 3 |
| 3 | 1 | 3 | 2 |
| 4 | 2 | 1 | 3 |
| 5 | 3 | 2 | 1 |
| 6 | 1 | 3 | 2 |
| 7 | 1 | 2 | 3 |

**Testergebnis**

*9 und weniger Punkte:*
Sie wissen nicht, was Sie aufregt, und deshalb regen Sie sich öfter auf als andere. Sie kennen Ihre Grenzen kaum, wahrscheinlich weil Sie nichts von ihnen wissen wollen. Diese Haltung ist der allerbeste Weg, die Grenzen in ihrer jetzigen Form für immer festzulegen. Noch gravierender aber dürfte sein, daß Sie sich nicht akzeptieren, wie Sie jetzt gerade sind, und das ist der eigentliche Grund für Wut, Panik und Niedergeschlagenheit. Überschreitet jemand Ihre Grenzen, die Sie nicht wahrhaben wollen, dann geraten Sie in

einen schweren inneren Konflikt. Sie fühlen dann, wie Sie wirklich sind, und das verträgt sich nicht mit dem Wunschbild, das Sie von sich haben.

*10–17 Punkte:*
Sie wissen, was Sie aufregt, aber Sie mißverstehen etwas, und dieses Mißverständnis ist der eigentliche Grund für unangenehme Gefühle. Sie kennen durchaus Ihre Grenzen, aber Sie glauben, daß diese Grenzen unverrückbar sind. Das sind sie ganz und gar nicht. Was sie so fest und starr macht, ist einzig Ihre Überzeugung, daß es so ist. Sie können die Wahrheit dieser Behauptung ganz leicht überprüfen. Halten Sie einen Tag lang zur Probe für wahr, daß Ihre Grenzen verschiebbar sind. Dann schauen Sie einfach, was passiert und, wichtiger noch, wie es Ihnen damit geht.

*18 und mehr Punkte:*
Natürlich wissen Sie, was Sie aufregt, und deshalb regt Sie kaum etwas wirklich auf. Sie kennen Ihre Grenzen, akzeptieren sie, und Sie zeigen sie anderen. Das könnte so aussehen, als wollten Sie darauf bestehen. Das Gegenteil ist der Fall. Nur mit dieser Haltung gelingt es Ihnen, an Ihren Grenzen zu arbeiten, immer offener, toleranter und akzeptierender zu werden. Auch Sie haben natürlich Wünsche, wie Sie gern sein möchten, und auch diese Wünsche akzeptieren Sie. Aber Sie verwechseln Ihre Wünsche nicht mit Ihrer jeweiligen Realität. So gibt es bei Ihnen eine fruchtbare Spannung zwischen Ist-Wert und Ziel-Wert, und diese Spannung ermöglicht erst Veränderung.

## 9. Können Sie verführen?

„Verführen“ hat für viele einen unangenehmen Klang. Sie wollen nicht verführt werden und schon gar nicht selbst verführen. Hinter dieser Einstellung steckt eine falsche Vorstellung, nämlich die, daß die schönen Dinge von selbst geschehen. Dinge passieren aber nicht von selbst, wohl aber unsere Wünsche und Impulse. Und jemanden zu verführen, bedeutet nichts anderes, als ihm Zugang zu verschaffen zu eben diesen recht angenehmen Triebfedern. Im übrigen: man verführt immer. Die Frage ist nur, ob man es bewußt tut oder unbewußt, und wenn unbewußt, dann ist es allzu oft eine Verführung zu Langeweile, Stagnation und Routine.

## Testfragen

1) Stellen Sie sich vor, Sie hätten allen Grund, eine Stinkwut auf Ihren Vorgesetzten zu haben. Welche der folgenden Reaktionen ist Ihrer Meinung nach die beste?
a) Mir nichts anmerken lassen und mir sagen, daß der Typ meinen Ärger nicht wert ist.
b) Ihm sagen: „Können Sie sich das vorstellen, steig' ich doch eben aus dem Wagen, und da steht vor mir einer, den ich gar nicht kenne, und sagt: ‚Sie Idiot?', können Sie sich das vorstellen?"
c) Ihm klar die Meinung sagen.

2) Stellen Sie sich vor, Ihr Partner wäre in sexueller Hinsicht bisweilen etwas gehemmt. Welches der drei folgenden kleinen Spiele würde diese Hemmung am ehesten durchbrechen?
a) Sie fragen: „Kannst du dich an dein schönstes sexuelles Erlebnis erinnern?"
b) Sie fragen: „Kannst du dir das Körpergefühl vorstellen, wenn es ganz schön ist?"
c) Sie sagen: „Bei diesem kleinen Spiel darfst du jetzt fünf Minuten auf keinen Fall an irgend etwas Sexuelles denken."

3) Stellen Sie sich vor, Sie wollten Ihren Partner zu einer Reise in die Südsee verführen. Mit welchem der folgenden Argumente glauben Sie, würde das am besten klappen?
a) „Stell' dir vor, kilometerweit nur Palmen und weißer Strand, ein tiefblaues Meer mit schäumender Brandung, lauer Wind und Sonnenschein. Würdest du da gern sein?"
b) „Also, es gibt da ein sensationell preisgünstiges Angebot, das wir nicht verpassen sollten."
c) „Ich hab' gehört, daß es fast überall in Europa an den Stränden teurer und voller geworden ist, der Service ist auch nicht besonders. Wollen wir nicht lieber mal in die Südsee fahren?"

4) Sie haben den Eindruck, daß Ihr Partner sich in seinem Äußeren in letzter Zeit etwas gehen läßt. Wie würden Sie darauf reagieren?
a) Ich würde ihn zur Rede stellen und ihn bitten, das zu ändern.
b) Ich würde ihm einige ältere Photos zeigen und dazu hingerissen sagen: „Also, da siehst du ja richtig zum Verlieben aus."
c) Ich würde mir sagen, daß es ein vorübergehendes Tief ist.

5) Ihr Partner neigt dazu, sich ganz überflüssige Sorgen zu machen. Sie möchten ihm gerne helfen. Wie stellen Sie das an?
a) Ich sage ihm: „Du brauchst dir keine Sorgen zu machen."
b) Ich mache ihm klar, daß Sorgen schädlich sind.
c) Ich bitte ihn, mir ganz genau zu sagen, wie er sich fühlt.

6) Ihr Partner hat Flugangst, und das ist vor jeder Reise ein schweres Handikap für ihn. Wie glauben Sie, können Sie ihm helfen?
a) Ich frage ihn: „Möchtest du deine Flugangst gern loswerden?" Und wenn er ja sagt: „Wie würde sich das anfühlen, wenn du ohne Flugangst im Flugzeug säßest?"
b) Ich sage ihm, daß alles halb so schlimm ist, daß es auch ganz ausgezeichnete Beruhigungsmittel gibt.
c) Ich sage ihm, daß laut Statistik Fliegen das absolut sicherste Transportmittel und der gefährlichste Teil der Flugreise die Taxifahrt zum Flughafen ist.

7) Ihr Partner hat die unangenehme Angewohnheit, Sie mitten im Satz zu unterbrechen. Wie können Sie das ändern?
a) Ich sage ihm offen, daß mich das stört.
b) Ich frage ihn bei jeder Unterbrechung: „Moment mal, was hatte ich gerade sagen wollen?"
c) Ich glaube nicht, daß man das ändern kann.

## Auflösung

| Antwort / Fragen | a) | b) | c) |
|---|---|---|---|
| 1 | 1 | 3 | 2 |
| 2 | 2 | 1 | 3 |
| 3 | 3 | 2 | 1 |
| 4 | 2 | 3 | 1 |
| 5 | 1 | 2 | 3 |
| 6 | 3 | 1 | 2 |
| 7 | 2 | 3 | 1 |

## Testergebnis

*9 und weniger Punkte:*
Mit dieser Einstellung können Sie nicht verführen, und wenn Sie es auch nicht wollen und rundum zufrieden sind, ist alles in Ordnung. Sollten Sie das aber ändern wollen, dann hier eine einfache und hoch wirksame Methode: Sie müssen wissen was Sie wollen, und Ihr Verhalten so lange ändern, bis Sie bekommen, was Sie wollen.

*10–17 Punkte:*
Eigentlich könnten Sie verführen und damit sich und Ihren Partner zu sehr angenehmen Erlebnissen verhelfen. Sie wissen sogar, was Sie wollen, aber dann meinen Sie, das wäre nicht in Ordnung, die Dinge sollten von allein geschehen. Damit blockieren Sie Ihre Ausdruckskraft und Ihre vitale Ausstrahlung.

*18 und mehr Punkte:*
Sie können verführen, und wahrscheinlich tun Sie es auch. Sie wissen, was Sie wollen, und Sie stehen dazu, und schon das allein

macht Sie unwiderstehlich. Noch wichtiger aber ist, daß es Ihnen keine Probleme bereitet, zu experimentieren, herauszufinden, wie es am besten geht.

## 10. Können Sie Ihren Partner sehen wie einen Fremden?

Als Sie Ihren Partner trafen und sich für ihn entschieden, war er Ihnen fremd, und offenbar waren Sie ganz von ihm hingerissen, ohne Angst vor seiner Fremdheit zu haben. Inzwischen ist Vertrautheit eingetreten, eine ganz wunderbare Sache. Sollte aber jenes anfängliche Gefühl von abenteuerlicher Fremdheit völlig verschwunden sein, dann wäre das traurig. Glücklicherweise beruht das aber stets auf Täuschung. Sie brauchen nur bereit zu sein, Ihren Partner unvoreingenommen zu sehen, wie er jetzt in diesem Augenblick tatsächlich ist. Dann werden Sie einen Schritt ins Unbekannte machen, natürlich nur, wenn Sie das wollen.

### Testfragen

1) Wie viele neue Eigenschaften hat Ihr Partner hinzubekommen, seitdem Sie ihn kennengelernt haben?
a) Keine.
b) Eine.
c) Einige.

2) Wenn Sie mit Ihrem Partner zusammen plötzlich ein merkwürdiges Gefühl erleben würden, wie würden Sie darauf reagieren?
a) Ich würde fragen, was los ist.
b) Ich würde versuchen herauszufinden, was das für ein Gefühl ist.
c) Kann ich mir nicht vorstellen.

3) Was, glauben Sie, bedeutet es, wenn Ihr Partner plötzlich auf andere Personen Ihres Geschlechts sehr anziehend wird?

a) Daß er sehr glücklich ist.
b) Daß er nach anderen Ausschau hält.
c) Daß ich auf der Hut sein muß.

4) Wenn Ihr Partner häufiger als früher zeigen oder sagen würde, daß er sich über Sie ärgert, was meinen Sie, bedeutet das?
a) Daß er mich weniger liebt.
b) Daß er mehr Vertrauen zu mir hat als früher.
c) Daß ich wohl irgend etwas falsch mache.

5) Wenn Ihr Partner nicht das geringste Interesse für andere Personen Ihres Geschlechts zeigt, was glauben Sie, bedeutet das?
a) Daß er sich nicht sehr wohl fühlt.
b) Daß er mit anderen Dingen beschäftigt ist.
c) Daß er mir völlig treu ist.

6) Wenn Sie die jetzige Situation mit der vergleichen, in der Sie Ihren Partner kennenlernten, in welcher meinen Sie, haben Sie mehr Anziehung empfunden?
a) In beiden gleich viel.
b) Damals.
c) Jetzt.

7) Stellen Sie sich vor, Ihr Partner käme plötzlich mit sehr verändertem Aussehen, etwa mit ganz ungewohnter Frisur oder einem ganz neuen Kleidungsstil, nach Hause. Was würden Sie vermutlich denken?
a) Eigentlich hätte er mich vorher fragen sollen.
b) Mit ihm kann man sich einfach nicht langweilen.
c) Das muß doch irgend etwas bedeuten.

8) Woran glauben Sie, kann man am ehesten erkennen, wenn der Partner tatsächlich das Interesse an einem verliert?
a) Daran, daß er sich offenbar langweilt.
b) Daran, daß er sich besonders bemüht.
c) Daran, daß er immer streitet.

9) Woran glauben Sie, erkennt man am ehesten, daß der Partner im Begriff ist, einem untreu zu werden?

a) Daran, daß er plötzlich neue Interessen hat.
b) Daran, daß er weniger Zeit für mich hat.
c) Daran, daß er andere Wörter benutzt.

10) Wie oft bemerken Sie an sich selbst, daß Sie auch ganz anders sein könnten, als Sie es Ihrem Partner zeigen?
a) Nie.
b) Manchmal.
c) Immer häufiger.

**Auflösung**

| Antwort / Fragen | a) | b) | c) |
|---|---|---|---|
| 1 | 1 | 2 | 3 |
| 2 | 2 | 3 | 1 |
| 3 | 3 | 1 | 2 |
| 4 | 1 | 3 | 2 |
| 5 | 3 | 2 | 1 |
| 6 | 2 | 1 | 3 |
| 7 | 1 | 3 | 2 |
| 8 | 3 | 2 | 1 |
| 9 | 2 | 1 | 3 |
| 10 | 1 | 2 | 3 |

**Testergebnis**

*14 und weniger Punkte:*
Natürlich können Sie Ihren Partner sehen, als wäre er ein Fremder, vermutlich aber wollen Sie das nicht. Ganz zu Unrecht befürchten Sie, daß dies dem Gefühl von Nähe und Intimität schaden würde. In Wirklichkeit wird aber aus Vertrautheit Vertraulichkeit, wenn man Angst davor hat, den anderen als den ganz und gar andersartigen und immer wieder neuen Menschen zu erleben. Das ist er in Wirklichkeit, und nichts ist traurig daran.

*15 – 26 Punkte:*
Sie sind im Konflikt. Einerseits haben Sie Sehnsucht nach dem Gefühl von einst, als Ihr Partner für Sie Abenteuer und Entdeckung war. Andererseits werden Sie sofort ängstlich, wenn die gewohnte Vertraulichkeit für einen Augenblick verschwindet, Ihr Partner etwas zeigt, das nicht in Ihr Bild paßt. Dabei besteht kein Grund zur Sorge, wenn Sie Neues und Unbekanntes an Ihrem Partner entdekken. Es beweist nur, daß Ihr Partner ein lebendiger Mensch ist, der sich wandelt, der sich mit Ihnen wandeln darf.

*27 und mehr Punkte:*
Sie können Ihren Partner erleben, als wäre er ein Fremder, ja Sie wollen das sogar. Völlig zu Recht fühlen Sie, daß etwas nicht stimmt, wenn Ihnen Ihr Partner ständig so erscheint, als kennen Sie ihn in- und auswendig. Mit dieser Haltung machen Sie Ihrem Partner auch Mut, so zu sein, wie er wirklich gerade ist.

# Persönlichkeitsprofil

Zur Erstellung Ihres Testprofils tragen Sie Ihre Testwerte aus den zehn vorstehenden Tests wie folgt in das leere Profil (S. 76) ein: Auf der unteren Markierung finden Sie die Punkte 1 – 10. An der vorderen vertikalen Linie finden Sie die mit römischen Zahlen bezeichneten Punkte I – III. Die niedrigste Punktzahl steht für römisch I, die mittlere für römisch II und die Kategorie mit der höchsten Punktzahl für römisch III. Kreuzen Sie für Test 1 über der Nr. 1

Ihr Testergebnis an, verfahren Sie dann so weiter für Test 2, 3 bis 10. Verbinden Sie dann die Kreuze durch Linien, so haben Sie Ihr Testprofil auf einen Blick.

**Persönlichkeitsprofil**

**Bedeutung**

*Alle Kreuze im oberen Bereich:*
Dieses Ergebnis ist in Wirklichkeit so selten, daß zu vermuten ist, daß der Betreffende in den Testbearbeitungen entweder gemogelt oder Antworten angekreuzt hat, die nicht wirklich für ihn zutreffen. Für die Partnerschaft bedeutet dies, daß man mehr an idealen Vorstellungen als am Genuß der Realität interessiert ist.

Sollte das Ergebnis aber ohne Mogelei zustande gekommen sein, dann handelt es sich um eine Person ohne Verdrängungen und Blockierungen, die unterscheiden kann zwischen Wahrnehmung und Phantasie, die zu intensivstem Kontakt auf allen Ebenen fähig ist. Auf die Partnerschaft bezogen bedeutet das höchste Fähigkeit zu Liebe und Glück.

*Alle Kreuze im mittleren Bereich:*
Dies ist ein ganz seltenes Ergebnis. Die psychischen Ursachen für solch ein Resultat liegen zumeist in einer Tendenz, auf gar keinen Fall auffallen zu wollen. Personen mit diesem Ergebnis neigen dazu, unentschieden zu bleiben, sich alle Möglichkeiten offenzuhalten. Für die Partnerschaft bedeutet dies oft, Konflikten durch Leugnung und Verschleierung aus dem Wege zu gehen.

*Alle Kreuze im unteren Bereich:*
Dieses Ergebnis weist darauf hin, daß die Person in starkem Maße ihre Antriebe und Impulse kontrolliert und unterdrückt. Für die Partnerschaft bedeutet dies, daß Konflikte um so wahrscheinlicher sind, je mehr der Partner einer solchen Person zu größerem Selbstausdruck neigt.

*Keine Kreuze im oberen Bereich:*
Ein solches Ergebnis ist selten, und man kann davon ausgehen, daß Personen, die kein einziges Kreuz im oberen Bereich haben, sich selbst unterdrücken oder hemmen. Auf die Partnerschaft bezogen bedeutet dies fast immer auch Unterdrückung der Sexualität und des emotionalen Ausdrucks.

*Keine Kreuze im unteren Bereich, aber mindestens 5 Kreuze im oberen Bereich:*
Dies ist ein sehr gutes Ergebnis. Es bedeutet ein hohes Maß an Selbstausdruck, Freiheit und Toleranz. Für die Partnerschaft besagt ein solches Ergebnis, daß die Person zu ihren Wünschen und Impulsen steht, daß sie damit dem Partner hilft, sich selbst zu akzeptieren.

*7 – 9 Kreuze im oberen Bereich:*
In abgeschwächter Form gilt hier, was in Kategorie „Alle Kreuze im oberen Bereich" gesagt wurde.

*7 – 9 Kreuze im mittleren Bereich:*
Dieses Ergebnis weist auf einige ungelöste Konflikte hin. Personen mit einem solchen Ergebnis forcieren einerseits bestimmte Haltungen und leugnen gleichzeitig andere ihrer Bestrebungen. Auf die Partnerschaft bezogen bedeutet es, daß die Person auch den Partner zu manipulieren versucht, dies nicht aus Bosheit, sondern aus Furcht, mit den eigenen unterdrückten Trieben konfrontiert zu werden.

*7 – 9 Kreuze im unteren Bereich:*
In abgeschwächter Form gilt hier, was in Kategorie „Alle Kreuze im unteren Bereich" gesagt wurde.

*In jeder Kategorie mindestens 3 Kreuze:*
Dieses Ergebnis weist auf ungelöste Konflikte hin. Die Person schwankt zwischen Selbstdisziplinierung und Unentschiedenheit. Auf die Partnerschaft bezogen bedeutet dies, daß der Partner einer solchen Person häufig verunsichert ist und selbst in Konflikt geraten kann.

# III. Zu welchem Frauentyp gehören Sie?

Anders als in den vorangegangenen Bereichen, bei denen es um Fähigkeiten und Strategien ging, handelt dieser Abschnitt von psychologischen Grundeinstellungen, die relativ festgelegt sind und nicht direkt verändert werden können. Gerade deshalb ist es von größter Bedeutung zu wissen, ob man seine Entscheidungen aufgrund von Urteilen, Gefühlen, Wahrnehmungen oder Intuitionen trifft.

Viele Streitereien und Mißverständnisse in Partnerbeziehungen können vermieden werden, wenn man weiß, welche Erkenntnisfunktion einen leitet. Wenn sich jemand bewußt ist, daß er seine Entscheidungen gefühlsbetont trifft, wird er sich nicht in nutzlose Argumentationen verstricken lassen. Der Vorwurf, unromantisch zu sein, wird dann auch den nicht schrecken, der weiß, daß Tatsachen, Wahrnehmung und Sinnlichkeit seine Stärken sind.

In dieser Testserie geht es also um unsere Grundfähigkeiten Denken, Fühlen, Empfinden und Intuition. So verschieden Menschen auch sind, sie besitzen alle diese Fähigkeiten. Aber welche davon sie bevorzugen und welche ganz und gar unbewußt sind – das erst macht den Unterschied. Die eine kauft ein Kleid, weil es ihr vernünftig erscheint, die andere, weil sie es hübsch findet. Die nächste, weil es demnächst „in“ sein wird, und wieder eine andere, weil sie sich darin wohlfühlt. Und natürlich werden das vier ganz unterschiedliche Kleider sein, je nachdem, ob man vernünftig, gefühlsbetont, sinnlich oder intuitiv einkauft.

Welche Fähigkeiten Sie bevorzugen, wird Ihren Stil bestimmen, die Wohnungseinrichtung, Ihre Art zu essen, zu reisen oder mit Freunden umzugehen.

## 1. Die Sachliche

Die Sachliche ist alles andere als eine graue Maus. Sie ist meist attraktiv und voller leidenschaftlicher Gefühle, Begehren und Verlangen. Nur handelt sie nicht danach. Da läßt sie den Verstand entscheiden. Deshalb halten sie andere oft für kühl. Einen Männertyp aber kann das nicht schrecken, und bei ihm wird sie am leichtesten aus der Fassung geraten.

Dieser Test sagt Ihnen, ob Sie zu diesem Typ gehören und welcher Mann Ihnen gefährlich werden kann.

**Testfragen**

1) Gehen Sie bei körperlichen Schmerzen immer gleich zum Arzt?
o Ja o Nein

2) Fällt es Ihnen schwer, zu faulenzen, gar nichts zu tun?
o Ja o Nein

3) Kennen Sie auf die Mark genau Ihre monatlichen festen Kosten?
o Ja o Nein

4) Hätten Sie ein schlechtes Gewissen, wenn Sie eine angefangene Arbeit für ein Schäferstündchen unterbrechen würden?
o Ja o Nein

5) Betrachten Sie den Urlaub vor allem als Erholung und Entspannung, wo man abschaltet und seine Ruhe haben will?
o Ja o Nein

6) Haben Sie eine gute gerade Körperhaltung?
o Ja o Nein

7) Werden Sie gereizt oder unzufrieden, wenn man Sie von Ihrem Tagesplan ablenkt?
o Ja o Nein

8) Verbringen Sie mindestens eine Stunde mit der Erstellung eines Finanzplanes?
o Ja o Nein

9) Haben Sie meist das Gefühl, daß eigentlich noch etwas erledigt oder getan werden muß?
o Ja o Nein

10) Mal Hand aufs Herz: Könnten Sie einen ehrlichen, aber nichtstuenden Tippelbruder respektieren?
o Ja o Nein

11) Sind Sie mit sich unzufrieden, wenn Sie an einem Tag nichts geleistet oder zustande gebracht haben?
o Ja o Nein

12) Bleiben Sie im Streit meist ruhig und vernünftig?
o Ja o Nein

13) Kommt es häufig vor, daß Sie ausgelassen oder albern sind?
o Ja o Nein

14) Wären sie bereit, für Ledersitze im Auto, die die Sicherheit nicht erhöhen, DM 2000,– draufzuzahlen?
o Ja o Nein

15) Würden Sie bei einem Streit mit Ihrem Partner Tränen in der Öffentlichkeit auf jeden Fall unterdrücken?
o Ja o Nein

**Auflösung**

1) Nein, 2) Ja, 3) Ja, 4) Ja, 5) Nein, 6) Ja, 7) Ja, 8) Ja, 9) Ja, 10) Nein, 11) Ja, 12) Ja, 13) Nein, 14) Nein, 15) Ja.

Für jede Übereinstimmung erhalten Sie einen Punkt.

**Testergebnis**

*13 und mehr Punkte:*
Es gibt bei Ihnen die Tendenz, Entscheidungen *nur* vernünftig zu fällen. Denken, Urteil und Vernunft sind sicher gut. Wenn aber dabei Gefühl und das körperliche Wohlergehen vergewaltigt werden, hat es seine bedenkliche Seite. Da Sie oft mit den Sätzen „man sollte...“, „man müßte...“ umgehen, gibt es bei Ihnen die Neigung, alle störenden Gefühle ins Unbewußte abzudrängen. Aber so sehr

Sie nach der Vernunft leben, Sie haben doch Gefühle, und die fordern ihr Recht. Notfalls tun sie das, indem sie explosionsartig in Ihrem Verstand einen Kurzschluß herbeiführen. Oft geschieht das in der Gestalt eines Mannes, der nicht weiter von Ihren vernünftigen Vorstellungen entfernt sein könnte. Er wird vollkommen unvernünftig sein, aber voller wechselnder Leidenschaften. Ihr Verstand könnte ohnmächtig zusehen, wie Sie mit Schicksalsgewalt auf ihn zutreiben. Wenn Sie dieser Falle entgehen wollen, brauchen Sie von Ihrer Klarheit keinen Deut zu opfern. Es reicht vollkommen, wenn Sie Ihren sinnlichen Bedürfnissen, Ihrem Ahnungsvermögen und Ihrem Gefühl ein wenig mehr Gehör schenken.

Solange Ihr Gefühl nicht gleichberechtigt neben dem Denken steht, ist der „gefühlsbetonte Mann“ für Sie das pure Gift. Dagegen sind Männer, deren stärkste Seite Sinnlichkeit oder Intuition ist, gute Partner für Sie, weil sie besonders gut geeignet sind, diese Funktion bei Ihnen zu stärken.

*8 – 12 Punkte:*
Auch bei Ihnen hat das Denken, Vernunft und Urteil eine Vorrangstellung. Da Sie Sinnlichkeit und Intuition nicht ausgeklammert haben, ist Ihr Denken nicht theoretisch und weltfremd, sondern realistisch und praktisch. Eine hervorragende Einstellung, wenn es darum geht, in der Außenwelt erfolgreich zu sein.

Etwas schwieriger wird es mit dem Innenleben sein. Da nämlich existieren nicht nur Gefühle, sie geben einem auch Richtung und Ziel und können einem viel sagen. Hier liegt Ihr schwächster Punkt. Wenn Sie Ihre Gefühle nicht völlig unbeachtet lassen, so werden Sie sie doch kaum ernst nehmen und schon gar nicht unbefangen ausdrücken.

Je stärker Sie Ihre Gefühle aussperren, desto eher könnten Sie vom gefühlsbetonten Mann fasziniert sein. Das ist eine sehr konflikthafte Sache, weil dabei meist sowohl der Verstand als auch die Sinnlichkeit nein sagen, das Gefühl aber hingerissen ist. Also keine sehr glücksversprechende Situation. Auch für Sie sind die idealen Männer sinnliche Genießer und die intuitiven mit den stets neuen Ideen.

*7 und weniger Punkte:*
Sie gehören nicht zum sachlichen Typ, sondern zu einem der drei anderen.

## 2. Die Gefühlsbetonte

Die Gefühlsbetonte ist für viele ungeheuer attraktiv. Sie versteht es, andere mit ihrem lebendigen Lachen zu faszinieren. Mit ihr vergißt man leicht den grauen Alltag. Obwohl sie mit scharfem Intellekt ausgestattet ist, richtet sie sich ausschließlich nach ihrem Gefühl. Da sie ihre Vernunft verdrängt, wird sie von einem Männertyp angezogen, der zu ihrem Unbewußten, nicht aber zu ihr paßt.

In diesem Test werden Sie herausfinden, ob Sie eine gefühlsbetonte Frau sind, und auch, welcher Mann gefährlich für Sie werden kann und mit welchem Sie prima zurechtkommen würden.

### Testfragen

1) Sind Sie gerne mit Menschen zusammen?
○ Ja ○ Nein

2) Brauchen Sie immer jemanden, mit dem Sie Freud und Leid teilen können?
○ Ja ○ Nein

3) Haben Sie es gerne, wenn Sie im Mittelpunkt stehen?
○ Ja ○ Nein

4) Kommt es schon mal vor, daß bei Ihnen im Streit Teller und Tassen fliegen?
○ Ja ○ Nein

5) Hat man schon oft von Ihnen behauptet, Sie seien launisch?
○ Ja ○ Nein

6) Werden Sie meist ärgerlich, gereizt und bedrückt, wenn man Ihnen nicht zuhört?
○ Ja ○ Nein

7) Tun Sie häufiger Dinge, die Sie hinterher bereuen?
○ Ja ○ Nein

8) Ist es meistens so, daß Sie gerne mehr Zärtlichkeit und Nähe hätten?

o Ja o Nein

9) Klingelt bei Ihnen fast immer das Telefon?

o Ja o Nein

10) Kommt es manchmal vor, daß Sie ganz plötzlich von schlimmen, mißtrauischen Gedanken über Ihren Liebsten gequält werden?

o Ja o Nein

11) Passiert es Ihnen häufiger, daß Sie mitten im Gespräch nicht mehr wissen, womit es angefangen hat?

o Ja o Nein

12) Wechseln Sie mit dem Partner meist auch Ihre Meinungen und Überzeugungen, so daß Sie ganz eins mit ihm sind?

o Ja o Nein

13) Kommt es häufig vor, daß Sie alles unternehmen, um Ihren Partner noch länger bei sich zu behalten, wenn er allein sein möchte?

o Ja o Nein

14) Dauert es meist länger als geplant, wenn Sie mit Freunden zusammen sind?

o Ja o Nein

15) Kommt es häufiger vor, daß Leute Zweifel an der Echtheit Ihrer Tränen oder Ihres Lachens äußern?

o Ja o Nein

**Auflösung**

Für jede Antwort mit Ja erhalten Sie einen Punkt.

**Testergebnis**

*13 und mehr Punkte:*
Gefühl ist Ihre starke Seite. Ob Sie tieftraurig oder voller Freude sind, vor Wut schäumen oder die ganze Welt umarmen möchten, nie kämen Sie auf die Frage, ob und welchen Grund es für dieses Gefühl gibt. Das ist gut, denn nur so kann man Gefühle offen und spontan ausdrücken. Auf andere wirken Sie damit unweigerlich befreiend und belebend. Langweilen können Sie sich damit nie, denn Gefühle gibt es immer, und obwohl die bei Ihnen schnell wechseln, nehmen Sie jedes so ernst, als würde es ewig dauern.

So wunderbar es auch ist, mit den Gefühlen auf gutem Fuß zu stehen, sie sagen einem doch nicht, was getan werden muß und auf welche Weise, und schon gar nicht, was man zu manchen Zeiten und mancherorts besser unterläßt. Sie sagen einem nicht einmal, wenn man krank, hungrig oder sexuell bedürftig ist. Das erfährt man von den Empfindungen. Und wie man Bedürfnisse befriedigt, sagen einem die Sinne und das Urteilsvermögen. Sie aber haben eine starke Neigung, einzig nach dem Gefühl zu gehen, und alles andere außer acht zu lassen. Ganz besonders störend für Ihre Gefühle finden Sie Einsichten, Argumente und jede Art von Logik, was Sie gern mit Begriffen wie „Wortspalterei" oder „Vernünftelei" abtun. Meist glauben Sie, daß Sie sich gegen das Urteil anderer verteidigen. In Wirklichkeit aber wehren sie sich gegen Ihre eigene Vernunft, die eigentlich nur die besten Bedingungen für Ihr Gefühlsleben herstellen möchte. Je einseitiger Sie nach dem Gefühl leben, desto stärker verdrängen Sie Ihr Denken ins Unbewußte. Dort eingekerkert, wird es auf Rache sinnen. Sie kommt gelegentlich in Form von bösartigen, mißtrauischen Gedanken, besonders gern über die Menschen, die Sie am meisten lieben. Aber noch lieber erscheint das Unbewußte in der Gestalt eines Mannes. Das könnte in Ihrem Fall ein eiskalter Fanatiker sein, der genau weiß, was Gut und Böse ist, und für das Gute bereit ist, gefühllos über Leichen zu gehen. Die wirklich guten Typen für Sie sind der sinnliche Genießer und der Mann mit einem Schuß Abenteuer.

*8 – 12 Punkte:*
Am meisten zu Hause sind Sie in Ihren Gefühlen. Sie kämen gar nicht auf den Gedanken, ein freundliches Gesicht zu machen,

wenn Sie böse sind, oder grimmig dreizuschauen, um jemanden zu erweichen. Diese Offenheit macht es Ihnen leicht, warmherzigen Kontakt zu vielen Menschen zu haben und in regem Gefühlsaustausch mit ihnen zu stehen. Da Sie neben dem Gefühl auch Ihre Sinne und die Intuition mitreden lassen, beziehen sich Ihre Gefühle auf die Wirklichkeit. Es kann Ihnen kaum passieren, daß Sie auf Beerdigungen schallend lachen oder einen Traueranfall in der Umarmung erleben, was beim ungezügelten Gefühlstyp gar nicht so selten ist. Einzig problematisch für Sie ist das Denken. Nicht, daß Sie es nicht könnten, eher fürchten Sie sich vor aufsteigenden Einsichten so, als könnte dabei eine ungeheuerliche Wahrheit an den Tag kommen. Gerade dort sollten Sie aber genau hinhören, sonst könnte es Ihnen ergehen wie der Frau in „13 und mehr Punkte".

Auch für Sie passen am besten der sinnliche Genießer und der Mann mit einem Schuß Abenteuer.

*7 und weniger Punkte:*
Sie gehören nicht zum gefühlsbetonten Typ, sondern zu einem der drei anderen.

## 3. Die Sinnliche

Meist ist sie hübsch und außerordentlich gewinnend. Da für sie gut ist, was den Sinnen gut tut, hat sie keinerlei Hemmungen, weder bei Gefühlen noch beim Sex. Sie ist die geborene Genießerin und deshalb für viele Männer die Traumfrau im Bett. Alles, was ihre Sinne reizt, nimmt sie sich, ohne Rücksicht auf Moral oder Vernunft. Vor allem Unerklärlichen, Geheimnisvollen aber fürchtet sie sich. Sie würde es am liebsten aus ihrem Leben verbannen, wenn es nicht einen Männertyp gäbe, der sie daran erinnert.

Testen Sie, ob Sie vielleicht die Sinnliche sind und vor welchem Mann Sie sich dann in acht nehmen müssen. Welcher Mann ideal für Sie ist, erfahren Sie natürlich auch in diesem Test.

## Testfragen

1) Haben Sie große volle Lippen?
o Ja o Nein

2) Würden Sie ungern in einem Hotelzimmer mit der Nr. 13 schlafen?
o Ja o Nein

3) Haben Sie keine Bedenken, an einem belebten Strand mit Ihrem Partner zu schmusen?
o Ja o Nein

4) Können Sie beim Arzt meist ganz genau angeben, wo der Schmerz sitzt und von welcher Art er ist?
o Ja o Nein

5) Passiert es Ihnen beim Einkaufen häufiger, daß Sie viel mehr Geld ausgeben als vernünftig wäre, weil die Ware, die Sie kaufen, entschieden besser schmeckt als die billigere?
o Ja o Nein

6) Ist es für Sie ganz normal, Männer und Frauen im Gespräch anzufassen?
o Ja o Nein

7) Haben Sie ein feines Gespür dafür, welche Modefarben zu Ihrem Haar, Ihren Augen und zu Ihrem Teint passen?
o Ja o Nein

8) Ist Langeweile für Sie ein unbekanntes Gefühl?
o Ja o Nein

9) Lassen Sie eine Speise stehen, wenn sie merkwürdig schmeckt oder riecht, auch wenn alle anderen nichts bemerken und weiteressen?
o Ja o Nein

10) Wenn Sie sich am Strand oder nach dem Bad oder der Sauna eincremen, tun Sie das dann gern langsam und mit Genuß?
o Ja o Nein

11) Kommt es manchmal ganz grundlos vor, daß Sie in Eifersuchtsphantasien geraten, in denen Sie peinlich genau sehen oder hören, was Ihr Partner mit einer anderen treibt?
o Ja o Nein

12) Achten Sie bei Ihren Sitzmöbeln mehr auf Bequemlichkeit als auf Design und Material?
o Ja o Nein

13) Haben Sie manchmal Kleidungsstücke nur ein- oder zweimal getragen, weil sie sich nicht gut auf der Haut anfühlten?
o Ja o Nein

14) Benutzen Sie beim Bad gern wohlriechende Öle, Salze oder Schaum?
o Ja o Nein

15) Wäre eine längere sexuelle Abstinenz für Sie ein echtes Problem?
o Ja o Nein

**Auflösung**

Für jede Antwort mit Ja erhalten Sie einen Punkt.

**Testergebnis**

*13 und mehr Punkte:*
Sie sind ein ausgeprägter Empfindungstyp. Sinnlichkeit ist Ihre starke Seite. Das ist eine gute Sache, denn mit den Sinnen orientieren wir uns in der Welt, und ihnen verdanken wir fast alle Genüsse und Erfahrungen. Sie können besser als andere unterscheiden, was den Sinnen gut und weniger gut bekommt. Auch das ist nicht zu verachten. Leider aber können die Sinne allein nicht entscheiden, wann und wo ein Verhalten sinnvoll, ungefährlich oder problematisch und unangemessen ist. Dazu bedarf es des Urteilsvermögens. Das schalten Sie gern aus – und noch stärker alles Ahnen.

Was die Intuition erfaßt, liegt nämlich in der Zukunft und ist deshalb mit den Sinnen nicht zu erfahren. Sie leben nach der Devise: „Was ich nicht sehen, hören, schmecken oder fühlen kann, geht mich nichts an." Diese Haltung fördert einen hervorragenden Kontakt zur äußeren Welt, aber einen denkbar schlechten zur inneren. Das kann leicht dazu führen, daß Sie sich draußen in der Welt heimisch, mit sich selbst aber sehr fremd fühlen, daß Ihnen eigene Gedanken, Gefühle und Ahnungen unheimlich werden können wie Gespenster. Ist die Sinnlichkeit in solcher Vormachtstellung, dann neigt das Unbewußte zu Störmanövern. Zumeist erscheinen sie einer Frau in der Gestalt eines Mannes. In Ihrem Fall dürfte es der extrem Intuitive sein, der Ihnen auf die glaubhafteste Weise die wildesten Lügengeschichten auftischen wird. Er glaubt sie ohnehin, denn für ihn ist seine Phantasie realer als die ertastbare Welt. Aber auch Sie könnten in Gefahr sein, Ihre sonst so perfekte Sinnlichkeit zu verlieren. Dieser Typ nämlich könnte Sie auch noch davon überzeugen, daß Sie voller Sex sind, wenn Sie rein gar nichts davon fühlen. Wollen Sie diesem Risiko entgehen, dann brauchen Sie von Ihrer Sinnlichkeit keine Abstriche zu machen. Es reicht, wenn Sie auch dem Denken und Fühlen und nicht zuletzt auch der Intuition einen Platz einräumen. Die für Sie guten Typen sind der Besonnene und der Gefühlstyp.

*8 – 12 Punkte:*
Sie haben eine ausgeprägte Sinnlichkeit. Das ist die wichtigste Voraussetzung für Freude und Genuß. Sie gibt Ihnen auch den richtigen Schuß Realitätssinn, so daß es Ihnen leicht fällt, in der äußeren Welt zu bekommen, was Sie brauchen.

Bei Ihnen sind auch Vernunft und Gefühl mit im Spiel. Sie haben dadurch die besten Möglichkeiten, Ihre sinnlichen Bedürfnisse in Bahnen zu lenken, die positiv und angenehm sind. Schwer tun Sie sich mit der Intuition, dem Ahnungsvermögen. Auch wenn Sie glauben, daß Sie nichts davon haben, es gibt diese Seite bei Ihnen, nur ist sie Ihnen unheimlich. Wenden Sie sich deshalb nicht davon ab. Es ist ein Teil von Ihnen, der gehört und erschlossen werden will. Falls nicht, könnten Sie an einen Männertyp geraten, wie er in „13 und mehr Punkte" beschrieben ist.

Die für Sie guten Typen sind der Besonnene und der Gefühlstyp.

*7 und weniger Punkte:*

Sie gehören nicht zum sinnlichen Typ, sondern zu einem der drei anderen.

## 4. Die Hexe (die Intuitive)

Wie die alte Hexe im Märchen sieht sie bestimmt nicht aus. Allerdings hat sie auch nur selten die Körperformen einer Monroe. Dennoch besitzt sie magnetische Anziehungskraft, sie verzaubert buchstäblich jeden, der in ihre Nähe kommt. Manchmal besitzt sie den sechsten Sinn, aber immer hat sie einen todsicheren Riecher für alles Zukunftversprechende. Davon ist sie so hingerissen, daß sie darüber die alltäglichen Dinge wie Geld, Haushalt und das Abendessen vergessen kann.

Auch für sie gibt es einen unpassenden Männertyp, an den sie besonders häufig gerät.

Ob Sie eine Intuitive sind und vor welchem Mann Sie sich dann in acht nehmen müssen, erfahren Sie in diesem Test.

### Testfragen

1) Kommt es häufig vor, daß Sie in einer fremden Stadt einfach Ihrer Nase folgend die Kneipe finden, die gerade „in“ ist?

o Ja o Nein

2) Arbeiten Sie am liebsten selbständig?

o Ja o Nein

3) Kommt es häufig vor, daß Sie übertreiben oder Ihre Erlebnisse beim Erzählen etwas ausschmücken?

o Ja o Nein

4) Fahren Sie lange Strecken lieber im Auto als mit der Bahn?

o Ja o Nein

5) Ist es schon oft passiert, daß Sie etwas taten, etwa radfahren,

laufen, meditieren, was später zum Modetrend wurde?
○ Ja ○ Nein

6) Finden Sie es schrecklich, so viel Arbeit und Zeit zu opfern, nur damit dieselben Teller und Tassen immer wieder sauber werden?
○ Ja ○ Nein

7) Waren Sie schon oft bei Tätigkeiten oder Dingen erfolgreich, die andere für völlig aussichtslos hielten?
○ Ja ○ Nein

8) Haben Sie schon öfter eine Reise angetreten, von der Sie tags zuvor noch keine Ahnung hatten?
○ Ja ○ Nein

9) Werden Sie bei der Bank leicht ungeduldig oder nervös, wenn Ihnen der Angestellte die Einzelheiten des Kreditvertrages erklären will?
○ Ja ○ Nein

10) Haben Sie meistens ein gutes Gefühl von Spannung und Abenteuer, wenn Sie an die Zukunft denken?
○ Ja ○ Nein

11) Wenn Sie könnten, würden Sie dann bei unangenehmen oder langweiligen Situationen am liebsten verreisen?
○ Ja ○ Nein

12) Bezahlen Sie Ihre Rechnungen oft auch ohne Geldnot erst, wenn eine Mahnung kommt?
○ Ja ○ Nein

13) Kommt es häufig vor, daß Sie zu wenig schlafen, zu viel arbeiten oder unternehmen?
○ Ja ○ Nein

14) Fühlen Sie sich bedrückt oder wie gelähmt, wenn Sie einmal keine Idee haben, was Sie Neues unternehmen könnten?
○ Ja ○ Nein

15) Kommt es oft vor, daß Sie von Restaurants oder Urlaubszielen reden und andere dann auch dorthin gehen?
○ Ja ○ Nein

## Auflösung

Für jede Antwort mit Ja erhalten Sie einen Punkt.

## Testergebnis

*13 und mehr Punkte:*
Intuition ist Ihre starke Seite. Ob es um Mode geht, den Goldpreis oder um die Zukunftsaussichten eines noch unbekannten, jungen Malers, oder auch um ein Liebesabenteuer, Sie wittern die Möglichkeiten lange vor der Zeit. Sie können also Dinge, die es noch gar nicht gibt, plastisch vor Augen sehen. Vor allem aber werden Sie davon magnetisch angezogen. Wie niemand sonst können Sie andere begeistern, für Ihre Person, aber auch für Ihre Ideen. Zusammen mit Ihrem überschäumenden Temperament und Ihrer unerschöpflichen Energie gelingt es Ihnen fast immer, das intuitiv Geschaute Wirklichkeit werden zu lassen. Wie keine andere sind Sie in der Lage, Träume wahr zu machen.

So großartig diese Fähigkeit auch ist, sie hat doch eine bedenkliche Seite. Je mehr sie nämlich von den Möglichkeiten fasziniert sind, um so störender werden Tatsachen. Das kann eine gemütliche Wohnung, ein liebender Ehemann oder der Erfolg im Beruf sein. Sobald Sie keine neuen Möglichkeiten mehr darin sehen, haben Sie das Gefühl, zu ersticken.

Gegen diese Tendenz, das Erreichte für neue Möglichkeiten leichtfertig aufzugeben, hilft lediglich Urteilsvermögen und Gefühl. Sie aber haben eine starke Neigung, nur der Intuition zu folgen, weil Urteile und Gefühle Ihre Begeisterung abschwächen würden. Genau das aber täte gut. Am störendsten für die Intuition aber empfinden Sie die handgreiflichen Tatsachen, über die Sie sich gern mit Schwung hinwegsetzen. Damit das so richtig klappt, ist es am besten, den Sinnesorganen Dämpfer zu verpassen.

Je einseitiger Sie sich auf die Intuition verlassen, desto kräftiger werden Sie Empfindungen und Sinneswahrnehmungen ins Unbewußte verdrängen.

Das Unbewußte rächt sich für diese Einseitigkeit dann gern in Form von Schmerzen und körperlichen Leiden, für die es keine medizinische Erklärung gibt. Manchmal bringt es die vernachlässigte Realität auch in der Gestalt des Gerichtsvollziehers in Erinnerung. Am liebsten aber erscheint es als ein ganz realer Mann vom gröbsten Kaliber, den rohen, gefühllosen Genießer. Er sieht nur Tatsachen, und zwar die griffigsten, auch bei Ihnen. Der für Sie passende Männertyp ist der vernünftige oder der gefühlsbetonte Mann.

*8 – 12 Punkte:*
Am wohlsten fühlen Sie sich bei allem Neuen, ob es gilt, eine Wohnung einzurichten, einen neuen Urlaubsort zu erforschen oder neue Bekanntschaften zu schließen. Da sind Sie in Ihrem Element, voller Charme, Vitalität und Begeisterung. Ihre intuitive Fähigkeit, Chancen und Möglichkeiten zu wittern, läßt in Ihrem Leben Routine und Langeweile nicht aufkommen. Da Sie aber auch Ihre Gefühle und Ihre Vernunft mitreden lassen, sind Sie in der Lage, bei allen Neuerungen das Erreichte zu schätzen und zu bewahren. Zwar fasziniert auch Sie jede neue Möglichkeit, aber Sie stehen nicht unter dem Zwang, sie um jeden Preis ergreifen zu müssen.

Etwas schwerer dagegen tun Sie sich mit der Empfindung. Selbstverständlich besitzen auch Sie diese Fähigkeit, aber oft erscheinen Ihnen Ihre Körperempfindungen geheimnisvoll oder als Anzeichen von Krankheit. Gerade in solchen Momenten lenken Sie sich gern ab. Dann aber sollten Sie lieber hinfühlen und zur Kenntnis nehmen, was Ihr Körper Ihnen sagen will. Wenn Sie sich beharrlich weigern, könnte es Ihnen ergehen wie der ungezügelten Intuitiven, die mit Vorliebe an den vulgären Genußtypen gerät.

Auch für Sie sind der vernünftige oder gefühlsbetonte Typ die passendsten Männer.

*7 und weniger Punkte:*
Sie gehören nicht zum intuitiven Typ, sondern zu einem der drei anderen.

# IV. Zu welchem Typ gehört Ihr Mann?

Wie im vorangehenden Kapitel über den Frauentyp werden auch hier psychologische Grundeinstellungen getestet, in dieser Testfolge diejenigen, die Ihren Partner prägen. Ein bewußtes Akzeptieren der Eigenheiten und Einstellungen des Partners wird zu mehr Verständnis in der Partnerschaft führen und durchsichtiger machen, warum der andere nun gerade so und nicht anders reagiert.

## 1. Der Einsiedler

Der Einsiedler ist oft schlank und von tiefschürfender Intelligenz. Auch wenn alles bestens ist, muß er viel allein sein. Er mag keinen geselligen Trubel, auch nicht im Urlaub. Obwohl er kaum Gefühle zeigt und manchmal sogar im körperlichen Kontakt scheu ist, hat er eine tiefe Sehnsucht nach Wärme und Nähe, nur wird er das nie zeigen.

Ob Ihr Mann zu diesem Typ gehört und wie stark, erfahren Sie, wenn Sie die folgenden Fragen beantworten. Wie Sie ihn nehmen müssen, was er auf gar keinen Fall verträgt, sagt Ihnen dieser Test.

### Testfragen

1) Er wirkt oft kühl und beherrscht.
○ Ja ○ Nein

2) Er schaut Sie beim Reden nur selten an.
○ Ja ○ Nein

3) Er ist schlank.
○ Ja ○ Nein

4) Er beschäftigt sich gern allein mit Büchern, Musik oder Computern.
○ Ja ○ Nein

5) Er zeigt so gut wie nie Ärger, Wut oder Trauer.
o Ja o Nein

6) Man weiß bei ihm nie so recht, wie es ihm geht und was er will.
o Ja o Nein

7) Er scheint oft tief in Gedanken versunken zu sein.
o Ja o Nein

8) Auf Partys hält er sich gern abseits und beobachtet die anderen.
o Ja o Nein

9) Er ist am liebsten in seiner gewohnten Umgebung und meidet alle Veränderungen.
o Ja o Nein

10) Er hat eine sehr klare Vorstellung von Gut und Böse, was bis zum Fanatismus gehen kann.
o Ja o Nein

11) Er kann ohne Grund plötzlich kalt und abweisend werden.
o Ja o Nein

12) Er ergreift in der Liebe selten die Initiative.
o Ja o Nein

13) Er atmet meist auf, wenn die Gäste gegangen sind.
o Ja o Nein

14) Er bemerkt jede Schummelei, sogar schon einen falschen Ton.
o Ja o Nein

15) Er theoretisiert gern.
o Ja o Nein

**Auflösung**

Für jede Antwort mit Ja erhalten Sie einen Punkt.

### Testergebnis

*13 und mehr Punkte:*
Um mit ihm glücklich zu sein, ist es unbedingt erforderlich, ihm immer wieder zu sagen, daß er willkommen ist. Sagen Sie es ihm nicht ausdrücklich, unterstellt er, daß Sie nichts von ihm wissen wollen, und zieht sich zurück.

Sein Bedürfnis nach Alleinsein müssen Sie ihm gönnen, er ist nun einmal so.

Gefühlsüberschwang dürfen Sie von ihm nicht erwarten, und Sie sollten ihn nie unterbrechen. Da er fast hellseherische Gaben für alles Falsche hat, muß man mit ihm unbedingt ehrlich sein.

*8 – 12 Punkte:*
Auch wenn er es nicht zeigt, im Grunde seines Herzens ist er unsicher, ob man ihn mag und bei sich haben will. Man muß es ihm immer wieder sagen. Beginnen Sie bei ihm niemals mit Zärtlichkeiten, reden Sie erst über seine Ideen, und gehen Sie behutsam vor.

*7 und weniger Punkte:*
Sollte er nahe an 7 Punkte herangekommen sein, wird auch er manchmal das Bedürfnis nach Alleinsein haben, das Sie respektieren sollten. Gegen 0 Punkte gehört er sicher zu einem anderen Typ.

## 2. Der Kuschler

Der Kuschler ist außerordentlich gewinnend und sehr gesellig. Er braucht unbedingt Freunde, die ihm Sympathie entgegenbringen, die er um Rat und Beistand bitten kann.

Ob Ihr Mann zu diesem Typ gehört und wie stark, erfahren Sie, wenn Sie die folgenden Fragen beantworten. Wie Sie ihn nehmen müssen, was er auf gar keinen Fall verträgt, sagt Ihnen dieser Test.

**Testfragen**

1) Er weiß nie, wo der Kellerschlüssel, wo die Socken oder seine Lieblingskrawatte sind.
o Ja o Nein

2) Er würde nicht einmal eine Woche allein zurechtkommen.
o Ja o Nein

3) Er würde im Haushalt gern helfen, aber er meint es ernst, wenn er sagt: „Das kann ich nicht."
o Ja o Nein

4) Er hat oft Zeiten von Schwäche und Niedergeschlagenheit.
o Ja o Nein

5) Er hat viele Freunde.
o Ja o Nein

6) Bei Problemen ruft er sofort jemanden an, um sich Rat und Beistand zu holen.
o Ja o Nein

7) Seine häufigsten Gesichtsausdrücke sind: lieb oder traurig.
o Ja o Nein

8) Er ist fast nie böse oder wütend.
o Ja o Nein

9) Er ist extrem eifersüchtig, weil er immer gleich befürchtet, Sie könnten ihn verlassen.
o Ja o Nein

10) Er kann nicht allein sein.
o Ja o Nein

11) Er wird traurig und betrübt, wenn es Ihnen schlecht geht, und kann Sie in solchen Situationen nicht aufheitern.
o Ja o Nein

12) Er versucht nie, den Überlegenen zu spielen.
o Ja o Nein

13) Er kann es nicht vertragen, von irgend etwas ausgeschlossen zu sein, auch wenn es nur Ihre Freundin ist.
o Ja o Nein

14) Er sieht meist jünger aus, als er ist.
o Ja o Nein

15) Er ist extrem leicht zu verletzen.
o Ja o Nein

**Auflösung**

Für jede Antwort mit Ja erhalten Sie einen Punkt.

**Testergebnis**

*13 und mehr Punkte:*
Es ist sehr leicht, ihn glücklich zu machen. Sie müssen ihn nur umsorgen, für ihn dasein, dann strahlt er, als wäre Weihnachten. Es hat gar nichts mit Ihnen zu tun, wenn er außer Ihnen noch viele Freunde und Freundinnen hat. Er braucht es einfach. Sie sollten eine gute Zuhörerin sein, denn er redet gern.

Wenn Sie keinen Ärger haben wollen, dürfen Sie nie krank, schwach oder selbst hilfsbedürftig sein, denn all das, was er so gut genießen kann, kann er selbst nicht geben.

*8 – 12 Punkte:*
Auch wenn er es nicht offen zeigt, in Wirklichkeit will er bemuttert und umsorgt werden. Er ist nicht eitel, aber er braucht all Ihre Aufmerksamkeit, um sich gut zu fühlen. Es ist ein Vergnügen, ihm etwas zu geben, denn niemand kann so glücklich dreinschauen wie er.
Verlangen Sie aber nie Blumen oder andere Aufmerksamkeiten, da hat er seine schwache Stelle.

*7 und weniger Punkte:*
Dicht an 7 Punkten bedeutet, daß auch er bisweilen das Bedürfnis hat, umsorgt zu werden. Bei so gut wie keinen Punkten wird er dieses Bedürfnis verdrängt haben und gern den Starken, Unabhängigen spielen wollen.

## 3. Der Beschützer

Er tut am liebsten alles selbst, denn er hat panische Angst, abhängig zu werden. Er beweist sich gern, daß er auch unter schwierigsten Bedingungen, etwa im Hochgebirge, in der Wüste, überleben kann. Ob Ihr Mann zu diesem Typ gehört, und wie stark, erfahren Sie, wenn Sie die folgenden Fragen beantworten. Wie Sie ihn nehmen müssen, was er auf gar keinen Fall verträgt, sagt Ihnen dieser Test.

### Testfragen

1) Sein Wunschtraum ist, eine entbehrungsreiche Abenteuerreise zu unternehmen, bei der es ums Ganze geht.
o Ja o Nein

2) Er verläßt sich nie auf andere.
o Ja o Nein

3) Ob auf der Autoreise der Keilriemen reißt oder eine Sicherung durchbrennt, ob der Strom ausfällt oder die Wasserleitung einfriert, er ist auf alles vorbereitet.
o Ja o Nein

4) Wenn Sie mit ihm Ärger haben, wird er mit Ihnen nicht streiten, sondern sich zurückziehen.
o Ja o Nein

5) Er arbeitet am liebsten allein.
o Ja o Nein

6) Er ist selten krank, geht auch mit Fieber noch zur Arbeit.
o Ja o Nein

7) Wenn er sich entschließt, zu fasten oder das Rauchen aufzugeben, dann zieht er das durch, als würde es ihm überhaupt nichts ausmachen.
o Ja o Nein

8) Es macht ihm Spaß, Ihnen Feuer zu geben und Ihnen in den Mantel zu helfen.
o Ja o Nein

9) Er läßt sich nicht gern einladen.
o Ja o Nein

10)Er macht lieber Geschenke, als daß er welche annimmt.
o Ja o Nein

11) Am liebsten hat er es, wenn Sie ein bißchen dumm und hilflos tun.
o Ja o Nein

12)Wenn Sie krank sind, ist er aufmerksam und liebevoll und kann Sie herrlich aufmuntern.
o Ja o Nein

13) Er könnte es nicht aushalten, wenn Sie mehr verdienen würden als er.
o Ja o Nein

14) Fast alle halten ihn für absolut vertrauenswürdig.
o Ja o Nein

15) Er wird bösartig und trotzig, wenn Sie ihn nur im geringsten in seiner Freiheit einschränken.
o Ja o Nein

**Auflösung**

Für jede Antwort mit Ja erhalten Sie einen Punkt.

**Testergebnis**

*13 und mehr Punkte:*
Wenn Sie mit ihm glücklich sein wollen, dürfen Sie ihm auf keinen Fall helfen, denn er will sich vor allem bestätigen, daß er es allein schafft. Er ist treu und fürsorglich wie kein anderer, wenn man ihm seine Eigenständigkeit läßt. Kommt man ihm da in die Quere, klammert man sich an ihn und versucht, ihn zu kontrollieren, dann muß er eigene Wege gehen.

*8 – 12 Punkte:*
Er zeigt nie, daß auch er bisweilen schwach ist und Hilfe braucht. Lassen Sie ihn unbedingt in diesem Glauben. Wenn Sie ihm helfen wollen, tun sie es so, daß er es nicht merkt. Das hat er besonders gern, denn er ist bei weitem nicht so stark, wie er tut. Geben Sie ihm jede Gelegenheit, Kavalier und Beschützer zu sein, das macht ihn weich und oft erregt es ihn auch.

*7 und weniger Punkte:*
Wahrscheinlich hält sich Geben und Nehmen bei ihm die Waage, besonders wenn er dicht an 7 Punkte liegt. Bei nahezu 0 Punkten wird sein Bedürfnis nach Anlehnung stärker sein als das zu führen.

## 4. Der Boß

Der Boß muß die erste Geige spielen, aber er tut das überhaupt nicht hart und schroff, sondern im Gegenteil mit einer so sanften Masche, daß man es gar nicht merkt. Läßt man ihm sein Spiel, ist er treu, einfallsreich, und Langeweile kommt bei ihm nicht vor.

Ob Ihr Mann zu diesem Typ gehört und wie stark, erfahren Sie, wenn Sie die folgenden Fragen beantworten. Wie Sie ihn nehmen müssen, was er auf gar keinen Fall verträgt, sagt Ihnen dieser Test.

**Testfragen**

1) Er ist außergewöhnlich großzügig, es macht ihm Spaß, sogar dann noch Leute einzuladen, wenn er knapp bei Kasse ist.
o Ja o Nein

2) Wenn es ihm notwendig erscheint, scheut er auch vor Übertreibungen oder Unwahrheiten nicht zurück.
o Ja o Nein

3) Er ist meist Führer im Verein oder im Freundeskreis.
o Ja o Nein

4) Er kann auf die geistreichste Weise jeden Streit schlichten.
o Ja o Nein

5) Man kann ihm unmöglich böse sein, jedenfalls solange er da ist.
o Ja o Nein

6) Er ist ein guter Zuhörer, aber auch ein großartiger Geschichtenerzähler.
o Ja o Nein

7) Er kann andere Leute so sehr begeistern, daß er sie fast von allem überzeugen kann.
o Ja o Nein

8) Er hat es sehr gern, wenn man ihn bewundert und zu ihm aufschaut.
o Ja o Nein

9) Wo andere Leute ausflippen würden, ist er betont nett, freundlich und cool.
o Ja o Nein

10) Wenn Sie ihm Vorwürfe machen, fängt er das sofort durch Entschuldigungen und Versprechen ab.
o Ja o Nein

11) Er verdaut jede Enttäuschung, läßt sich von keinem Fehlschlag entmutigen.
o Ja o Nein

12) Wenn ein bewaffneter Einbrecher ins Haus kommt, sagt er so überzeugend „Mann, laß das Ding fallen", daß der Einbrecher der Aufforderung tatsächlich nachkommt.
o Ja o Nein

13) Er tut oft so, als könne er auch ohne Sie leben.
o Ja o Nein

14) Er hat so gut wie nie Angst.
o Ja o Nein

15) Was immer er anstellt, Schuldgefühle kennt er nicht.
o Ja o Nein

## Auflösung

Für jede Antwort mit Ja erhalten Sie einen Punkt.

## Testergebnis

*13 und mehr Punkte:*
Ihr Mann gehört zu den „Bossen". Wenn Sie mit ihm glücklich sein wollen, müssen Sie ihm unbedingt die Vormachtstellung einräumen. Mit gleichberechtigter Partnerschaft läuft bei ihm gar nichts. Das heißt aber nicht, daß er ein „Dummerchen" mag, ganz im Gegenteil, er schätzt es, wenn Sie mit ihm seine stets neuen Pläne und Projekte ernsthaft besprechen. Wenn sie Ärger oder gar Trennung vermeiden wollen, dürfen Sie nie langweilig sein. Sie dürfen ihn auf gar keinen Fall als dummen Jungen behandeln oder seine Großzügigkeit ausnutzen.

*8 – 12 Punkte:*
Er hat es gern, wenn man ihm zeigt, daß man ihn respektiert und

als überlegen anerkennt. Dann kann man so gut wie alles von ihm haben: Liebe, Treue und Geschenke. Wenn er Ihnen nicht immer peinlich genau die Wahrheit sagt, dann müssen Sie es ihm nachsehen. Er glaubt nämlich selbst an seine Flunkereien. Verlangen Sie keine Auseinandersetzungen, das verträgt er nicht.

*7 und weniger Punkte:*
Bei annähernd 7 Punkten könnte er ein heimlicher Boß sein, der sich mit Verführung und Schmeichelei durchsetzt. Bei nahezu 0 Punkten wird er lieber im Hintergrund stehen und auf keinen Fall auffallen wollen.

## 5. Der Charmeur

Er ist vor allem liebenswürdig und verführerisch. Besonders sein Charme bringt die anderen dazu, ihm zu geben, was er will, ohne daß er darum bitten muß. Das ist auch sein Problem. Er kann nicht bitten und mag seine Bedürfnisse nicht offen zeigen.

Ob Ihr Mann zu diesem Typ gehört und wie stark, erfahren Sie, wenn Sie die folgenden Fragen beantworten. Wie Sie ihn nehmen müssen, was er auf gar keinen Fall verträgt, sagt Ihnen dieser Test.

### Testfragen

1) In einer Runde ist es fast immer er, der die besten Witze und Geschichten erzählt.
o Ja o Nein

2) Er ist ausgesprochen sexy.
o Ja o Nein

3) Er achtet peinlich genau darauf, in seiner Kleidung jugendlich und verführerisch auszusehen.
o Ja o Nein

4) Er neigt zu übertriebener Höflichkeit.
o Ja o Nein

5) Er fastet oder treibt Sport, wenn er auf der Waage zwei Kilo über dem Idealgewicht hat.

○ Ja ○ Nein

6) Er zeigt selten Ärger oder Agression.

○ Ja ○ Nein

7) Er flirtet gern.

○ Ja ○ Nein

8) Wenn man ihn angreift, entwaffnet er einem mit einer charmanten Bemerkung.

○ Ja ○ Nein

9) Selbst wenn er einmal nichts empfindet, kann er nicht anders, als ein liebes Gesicht zu machen.

○ Ja ○ Nein

10) Wenn er Sex will, hat er es gern, wenn Sie es so hinstellen, daß Sie ganz heiß darauf sind.

○ Ja ○ Nein

11) Bei strittigen Punkten schafft er es geschickt, andere zum Nachgeben zu bewegen.

○ Ja ○ Nein

12) Es fällt ihm schwer, Ihnen offen zu sagen, wenn er mit irgend etwas unzufrieden ist.

○ Ja ○ Nein

13)Wenn die Umgebung nicht nach seinem Geschmack ist, wird er leicht niedergeschlagen.

○ Ja ○ Nein

14) Er läßt sich auf keinen offenen Streit ein.

○ Ja ○ Nein

15) Was er braucht, muß er gleich haben, sonst reagiert er allergisch.

○ Ja ○ Nein

### Auflösung

Für jede Antwort mit Ja erhalten Sie einen Punkt.

### Testergebnis

*13 und mehr Punkte:*
Ihr Mann ist ein Charmeur. Wenn Sie mit ihm glücklich sein wollen, müssen Sie mit strahlenden Augen und bebender Brust zeigen, daß Sie seinem Charme völlig erlegen sind. Sie brauchen sich nur unterhalten zu lassen durch seine Geschichten oder sein abenteuerliches Leben, dann ist er restlos glücklich. Er hat es gern bequem, liebt gute Küche, Zärtlichkeit und Sex. Er verliert alle Liebenswürdigkeit, wenn man seine Bedürfnisse unbefriedigt läßt.

*8 – 12 Punkte:*
Er spielt gern den charmanten Unterhalter, und es macht ihm große Freude, für andere etwas zu tun. Man muß ihn unbedingt darin unterstützen, mit ihm lachen und fröhlich sein. Vor allem aber muß man mit ihm vollkommen ehrlich sein, weil er eine tiefe Unsicherheit hat, ob er den anderen vertrauen kann. Da er seine Bedürfnisse nicht gern zeigt, ist es ihm am liebsten, wenn Sie ganz heiß tun, wenn eigentlich er Sex will.

*7 und weniger Punkte:*
Bei fast 7 Punkten könnte er zum Typ des Bosses gehören, für den Ansehen und Prestige wichtig ist. Gegen 0 Punkte wird er jede Art von Charme für falsch und heuchlerisch halten.

## 6. Der Gemütsmensch

Er ist vor allem zuverlässig und ausdauernd. Im wahrsten Sinne des Wortes hat er wie kein anderer die Gabe, mit Ihnen durch dick und dünn zu gehen, selbst wenn es ganz dick kommt.

Ob Ihr Mann zu diesem Typ gehört und wie stark, erfahren Sie, wenn Sie die folgenden Fragen beantworten. Wie Sie ihn nehmen müssen, was er auf gar keinen Fall verträgt, sagt Ihnen dieser Test.

## Testfragen

1) Er ist ausgesprochen ausdauernd.
o Ja o Nein

2) Bevor er mit einer Arbeit anfängt, hält er sich gern lange mit der Vorbereitung auf.
o Ja o Nein

3) Er macht nur sehr selten ein strahlendes oder lachendes Gesicht.
o Ja o Nein

4) Was immer man von ihm verlangt, er sagt ja, aber dann wird's schwierig.
o Ja o Nein

5) Treibt man ihn zur Eile, kann er einen durch Langsamkeit oder ständige Fehler zur Weißglut bringen.
o Ja o Nein

6) Er ist die Geduld in Person und macht notfalls auch den langweiligsten Job.
o Ja o Nein

7) Im Streit wird er nie wütend, eher still aber trotzig.
o Ja o Nein

8) Er ist ein Meister im Erfinden von Ausflüchten, um Dinge, die getan werden müssen, auf die lange Bank zu schieben.
o Ja o Nein

9) Er ist ein ruhiger Typ und bleibt auch so, wenn andere schon verrückt werden.
o Ja o Nein

10) Er ist der einzige, der bei einem brillanten Witz nicht lacht.
o Ja o Nein

11) Er übernimmt ständig Aufgaben, bemüht sich auch redlich, aber kaum je bringt er etwas zu Ende, ohne einen Patzer einzubauen.
o Ja o Nein

12) Er ist in der Ehe fürsorglich, ehrlich, herzlich und voller Hingabe.
o Ja o Nein

13) Selbst wenn er einem das Bier aufs neue Kleid schüttet, bringt er es fertig, daß man nicht sich selbst, sondern ihn bedauert.
o Ja o Nein

14) Er geht gern auf „Nummer sicher" und vermeidet nach Möglichkeit jedes Risiko.
o Ja o Nein

15) Er zeigt selten offene Freude. Wenn er sie gar nicht unterdrükken kann, hält er die Hand vors Gesicht oder geht aufs Klo.
o Ja o Nein

## Auflösung

Für jede Antwort mit Ja erhalten sie einen Punkt.

## Testergebnis

*13 und mehr Punkte:*
Er ist ein Gemütsmensch. Ihm dürfen Sie nur ganz vorsichtig Ihre Liebe zeigen. Tun Sie's zu strahlend, bekommt er sofort ein leidendes Gesicht. Wenn Sie mit ihm glücklich sein wollen, dürfen Sie ihn auf keinen Fall zu etwas drängen oder antreiben. Denn niemand kann in Reaktion auf Druck so langsam werden wie er. Obwohl er unschuldig tut, fühlt er sich gar nicht so, und er braucht bisweilen ein kräftiges Donnerwetter. Dann kann er leiden und etwas von seinem inneren Druck ablassen.

*8 – 12 Punkte:*
Er gibt sich gern harmlos, aber nur weil er sich höllisch vor Verantwortung fürchtet. Wenn Sie ihn zu Versprechen drängen, wird er sie zwar geben, aber nie einhalten, weil er so langsam sein wird, daß Ewigkeiten vergehen. Am besten kommen Sie mit ihm aus, wenn Sie ihm nie Vorwürfe machen und eine Engelsgeduld mit ihm haben.

*7 und weniger Punkte:*
Nah an 7 Punkten heißt, daß er bisweilen an seinen Fähigkeiten zweifelt. Gegen 0 Punkte wird er Schuldgefühle überhaupt nicht kennen.

## 7. Der Überschwengliche

Er ist leicht erregbar und trägt das Herz auf der Zunge. Seine Stimmungen wechseln wie das Wetter im April, und alles hat Dramatik. Mitteltöne gibt es bei ihm nicht. Er ist himmelhoch jauchzend oder zu Tode betrübt.

Ob Ihr Mann zu diesem Typ gehört und wie stark, erfahren Sie, wenn Sie die folgenden Fragen beantworten. Wie Sie ihn nehmen müssen, was er auf gar keinen Fall verträgt, sagt Ihnen dieser Test.

### Testfragen

1) Er übertreibt leicht Gefühle wie Trauer, Freude und Schmerz.
o Ja o Nein

2) Er hat magnetische Anziehungskraft.
o Ja o Nein

3) Er mag es nicht, daß man sich in seiner Gegenwart mit anderen Dingen beschäftigt.
o Ja o Nein

4) Im Streit wird er mindestens laut, meist wirft er sogar mit vollen Tassen.
o Ja o Nein

5) Er ist bisweilen fast weiblich-verführerisch.
○ Ja ○ Nein

6) Er hat panische Angst vor einer Trennung, selbst wenn es nur für eine Stunde ist.
○ Ja ○ Nein

7) Er ist ein Meister im Nichtbemerken unangenehmer oder bedrohlicher Dinge.
○ Ja ○ Nein

8) Er ist der Typ, der sofort den Arm um Ihre Schulter legt oder Ihren Kopf in seine Richtung dreht, wenn er vermutet, daß Sie einen anderen Mann gesehen haben.
○ Ja ○ Nein

9) Er ist der einzige Typ, der ohne Schauspielunterricht jede Rolle spielen kann.
○ Ja ○ Nein

10) Wenn Sie einmal wirklich Grund zu bitterstem Ärger haben, wird er ein so herzerweichendes Gesicht machen, daß Sie nach drei Minuten allen Groll vergessen.
○ Ja ○ Nein

11) Im äußersten Fall schreckt er auch vor Selbstmorddrohungen nicht zurück.
○ Ja ○ Nein

12) Er braucht ständig Leute zum Reden, und wenn's der Tankwart ist.
○ Ja ○ Nein

13) Allein im Urlaub oder sogar im Krankenhaus hat er mindestens eine „Fast-Affäre".
○ Ja ○ Nein

14) Obwohl er tüchtig im Beruf ist, sind ihm Liebe und Familie letztlich wichtiger.
○ Ja ○ Nein

15) Wenn alles gut geht, sieht er Sie nicht nur als Frau, sondern eher als Liebesgöttin.
○ Ja ○ Nein

## Auflösung

Für jede Antwort mit Ja erhalten Sie einen Punkt.

## Testergebnis

*13 und mehr Punkte:*
Er ist ein ausgeprägter Typ des Überschwenglichen. Wenn Sie mit ihm glücklich sein wollen, müssen Sie ihm alle Aufmerksamkeit geben, denn selbst wenn Sie im Gebirge beim Autofahren schalten, wird er beleidigt sein, wenn Sie sich auf die Straße und nicht auf ihn konzentrieren. Sie müssen seine Gefühlsausbrüche ernst nehmen, ohne sich davon einfangen zu lassen. Auf keinen Fall dürfen Sie ihn allein lassen. Er wird augenblicklich untreu, nicht aus Abenteuerlust oder weil er Sie vergessen hat, sondern einfach, weil er jederzeit jemanden braucht, der sich ihm aufmerksam widmet.

*8 – 12 Punkte:*
Auch er gehört abgeschwächt zum Überschwenglichen. Er ist ein Energiebrocken und fähig, einen völlig in seinen Bann zu ziehen. Will man mit ihm glücklich sein, muß man vor allem Klarheit bewahren. Sie dürfen nämlich seine manchmal übertriebenen Gefühle nicht anzweifeln, aber gleichzeitig müssen Sie ihn vorsichtig bremsen, denn er neigt zu unüberlegten Handlungen. Auf gar keinen Fall dürfen Sie ihn schroff zurückweisen, darauf nämlich reagiert er hysterisch.

*7 und weniger Punkte:*
Bei annähernd 7 Punkten ist er gefühlsbetont, aber dabei ohne alle Übertreibung. Bei nahezu 0 Punkten wird er sich vor Gefühlen, vor seinen, aber auch Ihren, fürchten.

## 8. Der Unermüdliche

Er ist der typische Leistungsmensch. Ohne Pause geht er von einer Arbeit zur nächsten über. Auch im Urlaub muß er etwas Sinnvolles tun, denn er fürchtet Ruhe und Entspannung. Er ist der ideale Familienversorger, aber er wirkt dabei meist ernst und kühl.

Ob Ihr Mann zu diesem Typ gehört und wie stark, erfahren Sie, wenn Sie die folgenden Fragen beantworten. Wie Sie ihn nehmen müssen, was er auf gar keinen Fall verträgt, sagt Ihnen dieser Test.

**Testfragen**

1) Er ist ständig auf Trab, renoviert an Wochenenden und Feierabenden die Wohnung, repariert den Wagen oder macht Sonderschichten.
o Ja o Nein

2) Ohne Buch oder Volleyball hält er es am Strand nicht aus.
o Ja o Nein

3) Er macht meist ein ernstes Gesicht.
o Ja o Nein

4) Er kann nur spielen, wenn es für ihn eine Arbeit ist und die Kinder dabei etwas lernen.
o Ja o Nein

5) Er ist Frühaufsteher.
o Ja o Nein

6) Ihn bringt so leicht nichts aus der Fassung.
o Ja o Nein

7) Unter Streß käme er nie auf den Gedanken, sich auszuruhen, im Gegenteil legt er noch einen Zahn zu.
o Ja o Nein

8) Auf Autofahrten setzt er sich selbst Zeitgrenzen, die er dann auch bei Nebel unbedingt einhalten muß.
o Ja o Nein

9) Wenn nicht gerade die Mutter gestorben ist, werden Sie Trauer und Tränen bei ihm nicht zu sehen bekommen.
o Ja o Nein

10) Im Streit wird er nicht wütend, sondern ernst und vernünftig.
o Ja o Nein

11) Er braucht unbedingt Erfolg und Bewunderung für seine Leistungen.
o Ja o Nein

12) Er hat so viel um die Ohren, daß er nie das Gefühl hat, fertig zu sein.
o Ja o Nein

13) Wenn er in seine Arbeit vertieft ist und Sie platzen mit der Nachricht herein, daß er im Lotto gewonnen hat, wird er auch das als störend empfinden.
o Ja o Nein

14) Er ist sexuell so aktiv, daß er es meist gleich nochmal tun will.
o Ja o Nein

15) Wenn er auf den Kellner wartet, wippt er gern mit dem Bein und trommelt mit den Fingern auf den Tisch.
o Ja o Nein

**Auflösung**

Für jede Antwort mit Ja erhalten Sie einen Punkt.

## Testergebnis

*13 und mehr Punkte:*
Er ist ein ausgeprägter Typ des Unermüdlichen. Wenn Sie mit ihm glücklich sein wollen, müssen Sie unbedingt seine Leistungen hervorheben und anerkennen. Denn im Grunde seines Herzens ist er davon überzeugt, daß man ihn nur seiner Leistung wegen liebt. Obwohl er Ärger und Frustration selten zeigen wird, sollten Sie sich nicht täuschen lassen. Er erlebt es unweigerlich, wenn Sie ihn bei Arbeiten ablenken, unterbrechen oder ihn sonstwie behindern.

*8 – 12 Punkte:*
Auch er gehört abgeschwächt zum Unermüdlichen. Sein Selbstwertgefühl bezieht er aus der Anerkennung für seine Leistungen. Darin ist er nicht zu schlagen. Er braucht Lob und Anerkennung, aber auch liebevolle Verführung zu Ruhe und Entspannung. Denn die Kehrseite seiner großen Leistung ist die Gefahr von Herzinfarkt oder Kreislaufschwäche.

*7 und weniger Punkte:*
Bei fast 7 Punkten mag er Arbeit und Leistung, aber ohne eine Spur von Verbissenheit. Bei annähernd 0 Punkten wird es ihm mehr um Liebe und Familie als um Arbeit und Beruf gehen.

# V. Sind Sie das ideale Paar?

Im Gegensatz zu allen vorangegangenen Tests, bei denen es um Merkmale einer Person ging, wird hier die Dynamik der Beziehung getestet. Deshalb können Sie diese Tests auch nur gemeinsam mit einem Partner bearbeiten.

Diese Testbatterie macht den wohl bedeutsamsten Bereich von Partnerbeziehungen deutlich: was nämlich Sie glauben, was Ihr Partner von Ihnen glaubt, daß Sie glauben. Tatsächlich sind die komplizierten Entscheidungen, die Paare ständig treffen, viel weniger davon bestimmt, was der eine oder andere will, als von dem, was man glaubt, daß der andere will, und noch mehr von dem, was man glaubt, was der andere meint, daß man selber glaubt.

Diese Glaubensinhalte sind uns zumeist so selbstverständlich, daß wir es für unnötig erachten, ihre Richtigkeit zu überprüfen. Im Extremfall kann damit ein Paar mit ideal zueinander passenden Bedürfnissen in schwerste Konflikte geraten, weil jeder vom anderen etwas mit Sicherheit glaubt, was unzutreffend ist.

Diese Testserie wird Ihnen also deutlich machen, welches Bild Sie von Ihrem Partner haben, welches dieser von Ihnen hat, in welchen Punkten die Bilder der Wirklichkeit entsprechen und in welchen das nicht der Fall ist.

## 1. Passen Sie sexuell zusammen?

Bekanntlich ist es „der kleine Unterschied“, der den Reiz ausmacht. Weniger bekannt, aber wissenschaftlich erwiesen ist, daß dies auch noch für die Unterschiede in sexuellen Wünschen und Phantasien zutrifft. Ein gewisses Maß verschiedenartiger Wünsche wirkt stimulierend und erhält das Gefühl des Abenteuers. Allerdings gilt das nur, wenn beide Partner ihre unterschiedlichen Wünsche kennen und akzeptieren.

Wer sich allzusehr anpaßt, seine Wünsche verheimlicht oder unterdrückt, tut weder sich noch dem Partner einen Gefallen. Im Gegenteil, ein großer Teil des Reizes geht dabei verloren.

Dennoch gibt es die Sehnsucht nach Harmonie und Übereinstimmung. Diese Harmonie ist aber nie Gleichschaltung der Wünsche, sondern kommt, wenn man den anderen versteht.

Dieser Test gibt Ihnen Auskunft über beide Ebenen: über Unterschiede und Übereinstimmungen in Ihren Wünschen und über das richtige oder falsche Bild von dem, was Ihr Partner wünscht.

## Und so wird's gemacht

Beantworten Sie zunächst alle Fragen aufrichtig mit Ja oder Nein unter der Spalte „Ich".

Gehen Sie dann noch einmal alle Fragen durch und raten Sie, wie Ihr Partner die Fragen beantworten wird, und tragen Sie das unter der Spalte „Du" ein.

Decken Sie dann Ihre Antworten ab und lassen Sie Ihren Partner dasselbe tun.

| Für Sie | | | | Testfragen | Für Ihn | | | |
|---|---|---|---|---|---|---|---|---|
| Du | | Ich | | | Ich | | Du | |
| Ja | Nein | Ja | Nein | | Ja | Nein | Ja | Nein |
| | | | | 1) Ich fühle mich sexuell nur angesprochen, wenn ich merke, daß mein(e) Partner(in) mich begehrt. | | | | |
| | | | | 2) Es stimuliert mich, wenn ich sehe, daß auch andere meine(n) Partner(in) sexuell attraktiv finden. | | | | |
| | | | | 3) Ich hätte gern häufiger Sex mit meinem/meiner Partner(in). | | | | |

| Für Sie | | | | Testfragen | Für Ihn | | | |
|---|---|---|---|---|---|---|---|---|
| Du | | Ich | | | Ich | | Du | |
| Ja | Nein | Ja | Nein | | Ja | Nein | Ja | Nein |
| | | | | 4) Aktphotos von attraktiven Menschen des anderen Geschlechts regen mich an. | | | | |
| | | | | 5) Ich hätte es gern, wenn mein(e) Partner(in) mir genau sagen würde, was ihm/ihr Spaß macht. | | | | |
| | | | | 6) Ich genieße Sex am meisten, wenn es schon Stunden vorher knistert. | | | | |
| | | | | 7) Einige Tage Enthaltsamkeit erhöhen mein sexuelles Bedürfnis. | | | | |
| | | | | 8) Es gibt sexuelle Wünsche bei mir, die noch nie erfüllt wurden. | | | | |
| | | | | 9) Ich weiß genau, was meine(n) Partner (in) am meisten stimuliert. | | | | |

| Für Sie | | | | Testfragen | Für Ihn | | | |
|---|---|---|---|---|---|---|---|---|
| Du | | Ich | | | Ich | | Du | |
| Ja | Nein | Ja | Nein | | Ja | Nein | Ja | Nein |
| | | | | 10) Ich glaube, daß wir unsere sexuellen Möglichkeiten noch nicht voll ausgeschöpft haben. | | | | |
| | | | | 11) Ich muß meine(n) Partner(in) beim Sex auch sehen. | | | | |
| | | | | 12) Es dämpft meinen Sex, wenn mein(e) Partner(in) sich beim Sex in Stimme, Gesichtsausdruck und Bewegungen zurückhält. | | | | |
| | | | | 13) Ich würde gern über alle sexuellen Fragen offen reden. | | | | |
| | | | | 14) Manchmal Sex zu unüblichen Zeiten oder an ungewöhnlichen Orten hätten für mich durchaus seinen Reiz. | | | | |
| | | | | 15) Ich meine, daß jede sexuelle Praxis, die dem anderen nicht weh tut, erlaubt ist. | | | | |

| Für Sie | | | | Testfragen | Für Ihn | | | |
|---|---|---|---|---|---|---|---|---|
| Du | | Ich | | | Ich | | Du | |
| Ja | Nein | Ja | Nein | | Ja | Nein | Ja | Nein |
| | | | | 16) Mir würden auch solche sexuellen Kontakte Spaß machen, die nicht zum Geschlechtsverkehr führen. | | | | |
| | | | | 17) Ich fühle mich sexuell häufig unter Leistungsdruck. | | | | |
| | | | | 18) Ich hätte es gern, wenn mein(e) Partner (in) mich bisweilen verführen würde. | | | | |
| | | | | 19) Sexuelle Spiele, etwa mit Verkleidung oder anderen Rollen, würden mich reizen. | | | | |
| | | | | 20) Es fällt mir oft schwer, meinem Partner sexuelles Verlangen oder Erregung zu zeigen. | | | | |

## Testauswertung

### *I. Partnerschaftsergebnis*

Vergleichen Sie Ihre Ich-Antworten mit denen Ihres Partners. Für jede Übereinstimmung, gleichgültig ob Ja/Ja oder Nein/Nein, erhalten Sie einen Punkt. Dieses Partnerschaftsergebnis zeigt Ihnen, wie hoch der Grad an Übereinstimmung in Ihren Wünschen ist.

*16 und mehr Punkte*

Sie passen hervorragend zueinander, auf jeden Fall, was Harmonie und Innigkeit anbetrifft. Das kann leicht um den Preis von Anziehung und Erregung geschehen. Sollten Sie sich sexuell nicht vollkommen ausgefüllt und befriedigt fühlen, ist es wahrscheinlich, daß mindestens einer von Ihnen seine Wünsche unterdrückt oder verheimlicht.

*11 – 15 Punkte:*

Das ist das ideale Gleichgewicht zwischen Übereinstimmung und Unterschiedlichkeit. Anziehung gibt es zwischen Ihnen also sicher. Ob Sie das harmonisch erleben, wird davon abhängen, wie gut Sie Ihren Partner verstehen. Problematisch wird dieses Ergebnis auf jeden Fall dann sein, wenn Sie beide in den Einzelwertungen weniger als 11 Punkte haben.

*6 – 10 Punkte:*

Sie weichen in Ihren Wünschen und Vorstellungen so weit voneinander ab, daß nur ein hohes Maß von Aufrichtigkeit und Toleranz Sie in die Lage bringen könnte, sexuell miteinander zu harmonisieren. Eine gute Chance dazu besteht, wenn Sie beide in den Einzelwertungen über 16 Punkte erreicht haben.

*5 und weniger Punkte:*

Sie weichen in Ihren sexuellen Wünschen und Interessen so weit voneinander ab, daß es unwahrscheinlich ist, auf diesem Gebiet miteinander zu harmonisieren. Bei hoher Punktzahl in den Einzelwertungen könnten Sie dennoch einen Weg des Zusammenlebens finden. Sollten einer oder beide weniger als 11 Punkte in den Einzelwertungen haben, dürften die Schwierigkeiten unüberwindlich sein.

### *II. Einzelwertung für die Frau*

Vergleichen Sie Ihre Du-Antworten mit den Ich-Antworten Ihres Partners. Für jede Übereinstimmung, ob Ja oder Nein, erhalten Sie einen Punkt. Dieses Ergebnis sagt Ihnen, wie richtig oder falsch Sie die Wünsche Ihres Partners einschätzen.

*17 und mehr Punkte:*
Sie kennen Ihren Partner, seine Wünsche und Phantasien ziemlich genau. Damit erfüllen Sie die wichtigste Bedingung für eine glückliche und harmonische Partnerschaft. Allerdings hat dieses Einfühlungsvermögen auch leider seine gefährliche Seite. Sie könnten dazu neigen, Ihre eigenen Wünsche zu unterdrücken, um sich Ihrem Partner anzupassen. Das wird ganz sicher dann der Fall sein, wenn Sie sich sexuell unbefriedigt fühlen. In diesem Fall hilft nur das klare Erkennen der eigenen Wünsche und der Mut, dazu zu stehen.

*11 – 16 Punkte:*
Im großen und ganzen verstehen Sie Ihren Partner, aber es gibt ein paar blinde Flecken, und die werden nicht zufällig sein. Wenn Sie die Nichtübereinstimmungen noch einmal durchgehen, werden Sie erkennen, was Sie nicht sehen wollen.

*10 und weniger Punkte:*
Sie sehen Ihren Partner nur zum Teil, wie er ist, zum anderen Teil ist es Einbildung und Phantasie. Dieser Mangel kann durchaus mit sexueller Erfüllung Hand in Hand gehen. Es wird aber nicht ausreichen, um Konflikte oder Probleme zu bewältigen. Sollten Sie dennoch rundum glücklich sein, wird es vermutlich daran liegen, daß Ihr Partner in der Einzelwertung eine erheblich höhere Punktzahl erzielt hat.

### *III. Einzelwertung für den Mann*

Vergleichen Sie Ihre Du-Antworten mit den Ich-Antworten Ihrer Partnerin. Für jede Übereinstimmung, ob Ja oder Nein, erhalten Sie einen Punkt. Dieses Ergebnis sagt Ihnen, wie richtig oder falsch Sie die Wünsche Ihrer Partnerin einschätzen.

*17 und mehr Punkte:*
Sie haben ein Einfühlungsvermögen, das weit über dem Durchschnitt liegt, und sind damit das, was Frauen den „idealen Liebhaber“ nennen. Männer mit solch extremem Einfühlungsvermögen neigen allerdings leicht dazu, die Erfüllung der Partnerin so weit

über die eigene zu stellen, daß die eigene Befriedigung allzu oft ausbleibt. Diese Gefahr wird um so eher gegeben sein, je weniger Punkte Ihre Partnerin in der Einzelwertung erzielt hat.

*11 – 16 Punkte:*
Ideal ist dieses Ergebnis dann, wenn Ihre Partnerin in der gleichen Kategorie oder sogar darüber liegt. Sollte sie 11 oder weniger Punkte erzielt haben, wird es schwierig sein. Dann nämlich würde Ihnen nicht nur die „weibliche" Aufgabe der Einfühlung auferlegt sein, Sie müßten zudem auch noch Ihre Partnerin zu mehr Aufrichtigkeit und Einfühlungsvermögen ermutigen.

*10 und weniger Punkte:*
Als Mann liegen Sie damit durchaus in der Norm, aber eine befriedigende und harmonische Beziehung ist nur dann möglich, wenn Sie eine Partnerin haben, die eine erheblich höhere Punktzahl hat. In diesem Fall ist es gut zu wissen, daß die Harmonie und Innigkeit von ihrem Einfühlungsvermögen herrühren.

## 2. Wie halten Sie es mit der Treue?

Bitte stellen Sie sich vor, Herr und Frau Meier haben sich ewige Treue geschworen. Beide meinten es völlig ernst. Für Frau Meier gibt es seitdem keinen Mann mehr auf der Welt außer ihrem eigenen. Herr Meier dagegen flirtet heftig auf jeder Party und hat auch schon einige Seitensprünge hinter sich. Frau Meier ist entrüstet, denn in ihren Augen hat ihr Mann das Treuegelöbnis gebrochen. Aber auch Herr Meier ist ärgerlich. Er fühlt sich ungerecht behandelt, denn in seinen Augen hat er sein Versprechen strikt eingehalten. Er hatte nie eine heimliche Geliebte und hat das auch nicht vor. Beide haben offenbar sehr unterschiedliche Vorstellungen von Treue, was ganz normal ist. Nur daß unterschiedliche Vorstellungen natürlich sind, wußten Herr und Frau Meier nicht. Sie glaubten, es wäre selbstverständlich, daß sie dasselbe meinen, wenn sie Treue sagen. Ihr Konflikt ist in Wirklichkeit also kein Interessenskonflikt, sondern gründet sich auf ein Mißverständnis. Mißverständnisse, besonders solche, die nie erkannt werden, bilden die häufigste Ursache für Partnerschaftskonflikte.

In diesem Test geht es um Treue, was Sie darunter verstehen, was Ihr Partner, und inwieweit Sie sich einig darüber sind, was Treue für Sie und für den anderen bedeutet.

Den größten Gewinn bei diesem Testspiel werden Sie dann haben, wenn Sie die Fragen völlig aufrichtig beantworten. Es bringt Ihnen wenig, wenn Sie ankreuzen, wie Sie gern sein würden. Sie setzen damit Mißverständnisse nur fort. Wenn Sie dagegen alle Fragen mit einem klaren und aufrichtigen Ja oder Nein beantworten, können Sie problematische Punkte erkennen und im Gespräch zu einer Einigung kommen.

## Und so wird's gemacht

Beantworten Sie zunächst alle Fragen aufrichtig mit Ja oder Nein unter der Spalte „Ich“. Gehen Sie dann noch einmal alle Fragen durch und raten Sie, wie Ihr Partner die Fragen beantworten wird, und tragen Sie das unter der Spalte „Du“ ein. Decken Sie dann Ihre Antworten ab und lassen Sie Ihren Partner dasselbe tun.

| Für Sie | | | | Testfragen | Für Ihn | | | |
|---|---|---|---|---|---|---|---|---|
| Du | | Ich | | | Ich | | Du | |
| Ja | Nein | Ja | Nein | | Ja | Nein | Ja | Nein |
| | | | | 1) Ich erwarte von meinem Partner absolute Treue. | | | | |
| | | | | 2) Ich glaube, daß ich einen einmaligen Seitensprung, den mein Partner mir „beichtet“, verzeihen könnte. | | | | |

| Für Sie | | | | Testfragen | Für Ihn | | | |
|---|---|---|---|---|---|---|---|---|
| Du | | Ich | | | Ich | | Du | |
| Ja | Nein | Ja | Nein | | Ja | Nein | Ja | Nein |
| | | | | 3) Ich fühle mich meinem Partner gegenüber zu absoluter Treue verpflichtet. | | | | |
| | | | | 4) Eine geheimgehaltene Affäre wäre für mich ein unentschuldbarer Treuebruch. | | | | |
| | | | | 5) Jeder sexuelle Kontakt, den mein Partner zu einem Dritten hat, ist für mich Untreue. | | | | |
| | | | | 6) Unter bestimmten Bedingungen, etwa einer längeren erzwungenen Trennung, wären sexuelle Begegnungen nicht unbedingt ein Treuebruch. | | | | |
| | | | | 7) Man kann auch in Gedanken untreu sein. | | | | |
| | | | | 8) Völlige Aufrichtigkeit ist für mich mit Treue unauflöslich verbunden. | | | | |

| Für Sie | | | | Testfragen | Für Ihn | | | |
|---|---|---|---|---|---|---|---|---|
| Du | | Ich | | | Ich | | Du | |
| Ja | Nein | Ja | Nein | | Ja | Nein | Ja | Nein |
| | | | | 9) Ich meine, daß Treue mehr mit Sex als mit Liebe zu tun hat. | | | | |
| | | | | 10) Ich würde meinem Partner auch dann von einer sexuellen Begegnung mit einem Dritten berichten, wenn diese für mich ohne jede Bedeutung ist. | | | | |
| | | | | 11) Flirten ist für mich ein Zeichen dafür, daß mein Partner auf der Suche nach einem Abenteuer ist. | | | | |
| | | | | 12) Ich meine, daß Treue nicht erzwungen werden kann. | | | | |
| | | | | 13) Ich gerate in Spannung, wenn mein Partner Leuten anderen Geschlechts nachschaut. | | | | |

| Für Sie | | | | Testfragen | Für Ihn | | | |
|---|---|---|---|---|---|---|---|---|
| Du | | Ich | | | Ich | | Du | |
| Ja | Nein | Ja | Nein | | Ja | Nein | Ja | Nein |
| | | | | 14) Ich halte es nicht für Untreue, wenn man sich von anderen sexuell angesprochen fühlt. | | | | |
| | | | | 15) Ich würde mit Sicherheit fühlen, wenn mein Partner mir untreu wäre. | | | | |
| | | | | 16) Ich würde es ihm auf jeden Fall sagen, wenn ich einen solchen Verdacht hätte. | | | | |
| | | | | 17) Ich bin nie grundlos eifersüchtig. | | | | |
| | | | | 18) Es fällt mir manchmal schwer, treu zu bleiben. | | | | |
| | | | | 19) Ich drehe mich instinktiv um, wenn mein Partner mir gegenübersitzt und jemanden hinter mir anschaut. | | | | |
| | | | | 20) Ich sage meinem Partner klar, was ich bereit bin hinzunehmen und was nicht. | | | | |

## Testauswertung

Unabhängig von diesem Testergebnis werden Sie den größten Gewinn haben, wenn Sie unterschiedliche Antworten zu den einzelnen Fragen miteinander diskutieren. Sollten Sie dies tun, achten Sie auf eine eingebaute Falle: Kritisieren Sie weder die Fragen noch Ihren Partner. Versuchen Sie nicht, ihm klarzumachen, daß er etwas falsch verstanden hat. Die Fragen sind absichtlich so formuliert, daß unterschiedliche Deutungen möglich sind.

### *I. Partnerschaftsergebnis*

Vergleichen Sie Ihre Ich-Antworten mit den Ich-Antworten Ihres Partners. Für jede Übereinstimmung, gleichgültig ob Ja/Ja oder Nein/Nein, erhalten Sie einen Punkt. Dies ist Ihr Partnerschaftsergebnis und zeigt Ihnen, wie hoch der Grad an Übereinstimmung in Ihrer Vorstellung von Treue ist.

*16 und mehr Punkte:*
Sie sind sich einig, was die Treue anbelangt. Wenn Sie sich dabei rundum glücklich fühlen, stimmt alles bestens. Sollte das nicht der Fall sein, haben Sie einige Ihrer Bedürfnisse nach Freiheit und Selbstentfaltung dem Treueanspruch geopfert. Wenn das auch noch mit Hilfe von Verdrängungen geschah, werden Sie mit Ihrem Partner kein Problem haben, wohl aber mit sich selbst.

*8 – 15 Punkte:*
Es gibt bedeutsame Unterschiede in Ihrer Auffassung von Treue. Die Vorstellungen über Treue bilden so etwas wie die „Vertragsbasis“ in einer Partnerschaft. Bei so großen Unterschieden läßt sich zu einer vertraglichen Einigung nur mit Mühe kommen. Da aber alle Paare nach Regeln leben, auch wenn diese ungeschrieben oder unbewußt sind, ist zu vermuten, daß Sie ein Spiel mit zwei verschiedenen Spielregeln spielen.

*Weniger als 8 Punkte:*
Übereinstimmung gibt es bei Ihnen kaum. Sollte Sie der große Unterschied überrascht haben, dann zeigt dies, daß jeder von Ihnen

seine eigenen Spielregeln aufgestellt hat und stillschweigend annahm, daß der andere nach denselben lebt. Dieses Mißverständnis ist nun ausgeräumt, und es gibt zwei Möglichkeiten: Entweder Sie einigen sich auf eine gemeinsame Linie, oder Sie wissen, daß Sie keine gemeinsame Spielregeln haben. Sogar die letzte Möglichkeit ist entschieden besser als das frühere Mißverständnis. Dann mindestens wird es im Konfliktfall niemanden geben, der „Verrat“ oder „Betrug“ ruft.

### *II. Einzelwertung für die Frau*

Vergleichen Sie Ihre Du-Antworten mit den Ich-Antworten Ihres Partners. Für jede Übereinstimmung, ob Ja oder Nein, erhalten Sie einen Punkt. Dieses Ergebnis sagt Ihnen, ob Sie Ihren Partner so sehen, wie er wirklich ist.

*16 und mehr Punkte:*
Sie verstehen Ihren Partner hervorragend. Ideal ist es dann, wenn die Einzelwertung Ihres Partners und die Gesamtwertung auch in diesem Bereich liegen. Sollte das nicht zutreffen, können Sie mit diesem Maß an Einfühlung Mißverständnisse ausräumen und Ihrem Partner zu mehr Einsicht verhelfen. Tun Sie es nicht, dann besteht die Gefahr der Selbstverleugnung.

*8 – 15 Punkte:*
Sie haben eine unklare Wahrnehmung von Ihrem Partner. Sollten Sie auch im Partnerschaftsergebnis in diesem Punktbereich liegen, so zeigt dies, daß Sie zum Teil in Phantasiebildern gelebt haben. Gefährlich wird es dann, wenn auch Ihr Partner in der Einzelwertung ein ähnliches Ergebnis erzielt hat. Es hieße, daß Sie beide ganz unterschiedliche Phantasien für die Wirklichkeit halten.

*Weniger als 8 Punkte:*
Sie sehen Ihren Partner völlig unrealistisch. Sie haben nicht zu wenig Menschenkenntnis, Sie sind ganz einfach zu unaufmerksam. Ihre Phantasiebilder sind Ihnen wichtiger als die Realität Ihres Partners. Eine so starke Ausblendung der Wirklichkeit wird sicher Hand in Hand gehen mit einem Verlust Ihrer Sinnlichkeit.

### *III. Einzelwertung für den Mann*

Vergleichen Sie Ihre Du-Antworten mit den Ich-Antworten Ihrer Partnerin. Für jede Übereinstimmung, ob Ja oder Nein, erhalten Sie einen Punkt. Dieses Ergebnis sagt Ihnen, ob Sie Ihre Partnerin so sehen, wie sie wirklich ist.

*16 und mehr Punkte:*
Ein ausgezeichnetes Ergebnis, besonders dann, wenn auch Ihre Partnerin und das Partnerschaftsergebnis in diesem Punktbereich liegen. Sollte das nicht der Fall sein, fällt Ihnen die Aufgabe zu, Mißverständnisse auszuräumen. Sollte Ihre Partnerin in ihrer Einzelwertung entschieden weniger Punkte bekommen haben, müssen Sie zudem mit ihrem Widerstand rechnen, wenn Sie Ihre Phantasiebilder durch Realitäten ersetzen wollen.

*8 – 15 Punkte:*
Sie sehen Ihre Partnerin nicht so, wie sie wirklich ist. Dafür kann es zwei Gründe geben: Entweder halten Sie an einem Idealbild fest, oder Sie blenden aus egoistischen Gründen Teile Ihrer Partnerin aus. In beiden Fällen tun Sie weder sich noch Ihrer Partnerin etwas Gutes. Auf jeden Fall werden Sie bei Konflikten mit dieser Haltung kaum Chancen für eine Lösung haben. Wahrscheinlich hat Ihre Partnerin ein besseres Einzelergebnis und leistet diese Arbeit für Sie mit.

*Weniger als 8 Punkte:*
Sie sehen nicht Ihre Partnerin, sondern ein Phantasiebild. So extreme Abweichungen von der Wirklichkeit können nur dann aufrechterhalten werden, wenn man die Wahrnehmung, also Hören und Sehen, reduziert. Das wird besonders dann zutreffen, wenn Ihre Partnerin ein höheres Punktergebnis erzielt hat. Sollte auch sie in diesem Punktbereich liegen, dann leben Sie beide in zwei verschiedenen Phantasiewelten, ohne sich dessen bewußt zu sein. Phantasien und Illusionen aufzugeben ist sicher schmerzlich, aber harmlos im Vergleich zu den katastrophalen Folgen, die eintreten, wenn eine Illusion von außen zerstört wird.

# 3. Wie stehen Sie zum Geld?

**So wird's gemacht**

Beantworten Sie zunächst alle Fragen aufrichtig mit Ja oder Nein unter der Spalte „Ich". Gehen Sie dann noch einmal alle Fragen durch und raten Sie, wie Ihr Partner die Fragen beantworten wird, und tragen Sie das unter der Spalte „Du" ein. Decken Sie dann Ihre Antworten ab und lassen Sie Ihren Partner dasselbe tun.

Bitte achten Sie darauf, daß eine Ja-Antwort bedeutet, daß Sie dem Satz zustimmen, eine Nein-Antwort, daß Sie ihm nicht zustimmen. Zum Beispiel: „Ich gehe nicht gern ins Kino." Wenn das wahr ist, antworten Sie mit Ja, und mit Nein, wenn Sie gern ins Kino gehen.

| Für Sie | | | | Testfragen | Für Ihn | | | |
|---|---|---|---|---|---|---|---|---|
| Du | | Ich | | | Ich | | Du | |
| Ja | Nein | Ja | Nein | | Ja | Nein | Ja | Nein |
| | | | | 1) Ich habe immer etwas Geld auf der hohen Kante, von dem mein Partner nichts weiß. | | | | |
| | | | | 2) Ich glaube, daß ein Geldgeschenk die Eifersucht meines Partners mildern würde, wenn ich mal einen Seitensprung mache. | | | | |
| | | | | 3) Ich meine, daß ich meinem Partner keine Rechenschaft schuldig bin, was ich mit meinem Taschengeld anfange. | | | | |

| Für Sie | | | | Testfragen | Für Ihn | | | |
|---|---|---|---|---|---|---|---|---|
| Du | | Ich | | | Ich | | Du | |
| Ja | Nein | Ja | Nein | | Ja | Nein | Ja | Nein |
| | | | | 4) Einen Teil meines Geldes gebe ich dafür aus, um für Leute des anderen Geschlechts attraktiv zu sein. | | | | |
| | | | | 5) Am liebsten wäre es mir, für Anschaffungen vorher zu sparen und gar nichts auf Kredit zu kaufen. | | | | |
| | | | | 6) Wenn einer allein Verfügungsgewalt über das Geld hätte, käme man besser aus. | | | | |
| | | | | 7) Männer brauchen mehr Taschengeld als Frauen. | | | | |
| | | | | 8) Ich glaube, daß es für eine Partnerschaft besser ist, wenn der Mann mehr verdient als die Frau. | | | | |
| | | | | 9) Ich bin unsicher, ob mein Partner mir treu bliebe, wenn er drei Millionen im Lotto gewinnen würde. | | | | |

| Für Sie | | | | Testfragen | Für Ihn | | | |
|---|---|---|---|---|---|---|---|---|
| Du | | Ich | | | Ich | | Du | |
| Ja | Nein | Ja | Nein | | Ja | Nein | Ja | Nein |
| | | | | 10) Manchmal macht es mir Spaß, Geld sinnlos zu verprassen. | | | | |
| | | | | 11) Ich habe meist keinen Überblick, wieviel Geld genau auf unserem Konto ist. | | | | |
| | | | | 12) Abgesehen davon, daß man nun einmal Geld zum Leben braucht, bedeutet es mir nichts. | | | | |
| | | | | 13) Wir entscheiden gemeinsam, was wir mit unserem Geld anfangen. | | | | |
| | | | | 14) Ich finde, wir haben zu wenig Geld. | | | | |
| | | | | 15) Einer Augenblickslaune folgend gebe ich niemals Geld aus. | | | | |
| | | | | 16) Wenn es nach mir allein ginge, würde mehr Geld zum Sparen angelegt werden. | | | | |

| Für Sie | | | | Testfragen | Für Ihn | | | |
|---|---|---|---|---|---|---|---|---|
| Du | | Ich | | | Ich | | Du | |
| Ja | Nein | Ja | Nein | | Ja | Nein | Ja | Nein |
| | | | | 17) Ich glaube, daß viele Leute nur deshalb treu sind, weil sie nicht genug Geld zur Untreue haben. | | | | |
| | | | | 18) Ich meine, daß der mehr Rechte auf das Geld hat, der mehr verdient. | | | | |
| | | | | 19) Ich glaube, Frauen können besser mit Geld umgehen als Männer. | | | | |
| | | | | 20) Ich glaube, daß die meisten Männer Geld für Dinge (Pornokino, Peepshow usw.) ausgeben, von denen ihre Frauen keine Ahnung haben. | | | | |

**Testauswertung**

Unabhängig vom Testergebnis werden Sie den größten Gewinn haben, wenn Sie unterschiedliche Antworten zu den einzelnen Fragen miteinander diskutieren. Sollten Sie dies tun, achten Sie auf eine eingebaute Falle: Kritisieren Sie weder die Fragen noch Ihren Partner. Versuchen Sie nicht, ihm klarzumachen, daß er etwas falsch verstanden hat. Die Fragen wurden absichtlich so formuliert, daß unterschiedliche Deutungen möglich sind.

### *I. Partnerschaftsergebnis*

Vergleichen Sie Ihre Ich-Antworten mit den Ich-Antworten Ihres Partners. Für jede Übereinstimmung gleichgültig ob Ja/Ja oder Nein/Nein, erhalten Sie einen Punkt. Dies ist Ihr Partnerschaftsergebnis und zeigt Ihnen, wie hoch der Grad an Übereinstimmung in Ihrer Vorstellung vom Geld ist.

*16 und mehr Punkte:*
Ihre große Übereinstimmung sagt nicht, daß Sie mit Gelddingen richtig oder falsch liegen. Es sagt nur, daß Sie sich einig sind. Und das zeigt schon das Problem: Wenn beide das Geld zusammenhalten, kommt leicht die Lebensfreude zu kurz. Wo beide eine leichte Hand haben, bleibt die Sicherheit auf der Strecke.

*8 – 15 Punkte:*
Sie sind sich nicht immer einig, aber das kann durchaus seine sehr gute Seite haben. Wenn einer für das Zusammenhalten, der andere für Genuß und Luxus zuständig ist, kann es gelingen, daß beides befriedigt wird. Allerdings nur dann, wenn beide Partner verstehen, daß die unterschiedlichen Einstellungen eine gute Form der Arbeitsteilung sind.

*Weniger als 8 Punkte:*
Ihre Vorstellungen sind so unterschiedlich, daß es schwerfallen dürfte, sie unter einen Hut zu bringen. Da jeder von Ihnen wahrscheinlich auch noch annimmt, daß er mit seiner Haltung im Recht, der andere aber im Unrecht ist, werden sich die Konflikte häufen. Erste Voraussetzung zu einem vernünftigen Gespräch wäre also, daß jeder von Ihnen akzeptiert, daß auch die Einstellung des anderen ihren Wert hat.

### *II. Einzelwertung für die Frau*

Vergleichen Sie Ihre Du-Antworten mit den Ich-Antworten Ihres Partners. Für jede Übereinstimmung, ob Ja oder Nein, erhalten Sie einen Punkt. Dieses Ergebnis sagt Ihnen, ob Sie Ihren Partner so sehen, wie er wirklich ist.

*16 und mehr Punkte:*
Sie haben ein klares Bild, was Geld für Ihren Partner bedeutet. Bei hoher Übereinstimmung in der Partnerschaftswertung sollten Sie unbedingt prüfen, ob Sie Einfühlung nicht mit Selbstverleugnung gleichsetzen. Wer sich leicht in die Position des anderen versetzen kann, hält oft auch dessen Wünsche für die eigenen.

*8 – 15 Punkte:*
Viele Mißverständnisse rühren daher, daß Sie nicht genau wissen, was Ihr Partner mit dem Geld anfangen will. Wenn auch er so ungenaue Vorstellungen von Ihren Wünschen hat, könnten Sie zu einer Couchgarnitur oder einem Auto kommen, das Sie beide nicht wollen, nur weil Sie beide davon überzeugt sind, daß der andere es will.

*Weniger als 8 Punkte:*
Sie haben abenteuerliche Vorstellungen darüber, was Geld für Ihren Partner bedeutet. Wenn Ihnen selbst gleichgültig ist, was mit dem Geld geschieht, ist das kein Nachteil. Sollten Sie aber Ihre eigenen Vorstellungen dazu haben, wird der Haussegen schief hängen, solange Sie nicht herausfinden, was Ihr Partner will.

### *III. Einzelwertung für den Mann*

Vergleichen Sie Ihre Du-Antworten mit den Ich-Antworten Ihrer Partnerin. Für jede Übereinstimmung, ob Ja oder Nein, erhalten Sie einen Punkt. Dieses Ergebnis sagt Ihnen, ob Sie Ihre Partnerin so sehen, wie sie wirklich ist.

*16 und mehr Punkte:*
Ihre ausgezeichnete Kenntnis über die Vorstellungen, die Ihre Partnerin über Geld und Ausgaben hat, sind entweder das fruchtbare Ergebnis von Gesprächen oder das Ihrer Einfühlung. Im zweiten Fall sollten Sie überprüfen, ob mit dem Geld auch *Ihre* Wünsche erfüllt werden oder nur die Ihrer Partnerin.

*8 – 15 Punkte:*
Sie wissen nicht genau, wie Ihre Partnerin über Geld denkt, was sie damit anfangen will. Diese Unkenntnis kann dazu führen, daß Sie

sich Ihre eigenen Wünsche erfüllen im Glauben, Sie erfüllten die Wünsche Ihrer Partnerin. Es kann aber noch verrückter kommen: nämlich, wenn Sie einen „Wunsch" erfüllen, etwa indem Sie alles Geld zusammenhalten, den weder Sie noch Ihre Partnerin hegen.

*Weniger als 8 Punkte:*
Sie haben keine Ahnung von den Vorstellungen Ihrer Partnerin über Geld. Sollte Ihnen selbst Geld ganz gleichgültig sein, wird sicher Ihre Partnerin schon wissen, was damit anzufangen ist. Dann gäbe es kein Problem. Das gäbe es aber sicher, wenn Ihnen Geld nicht gleichgültig ist. Dann wird es Streit geben, und Sie werden so lange nicht wissen, worum es geht, bis Sie begreifen, daß Ihre Vorstellungen nicht unbedingt auch die Ihrer Partnerin sein müssen.

## 4. Wie soll die Zukunft aussehen?

### So wird's gemacht

Beantworten Sie zunächst alle Fragen aufrichtig mit Ja oder Nein unter der Spalte „Ich". Gehen Sie dann noch einmal alle Fragen durch und raten Sie, wie Ihr Partner die Fragen beantworten wird, und tragen Sie das unter der Spalte „Du" ein. Decken Sie dann Ihre Antworten ab und lassen Sie Ihren Partner dasselbe tun.

Bitte achten Sie darauf, daß eine Ja-Antwort bedeutet, daß Sie dem Satz zustimmen, eine Nein-Antwort, daß Sie ihm nicht zustimmen. Zum Beispiel „Ich gehe nicht gern ins Kino." Wenn das wahr ist, antworten Sie mit Ja, und mit Nein, wenn Sie gern ins Kino gehen.

| Für Sie | | | | Testfragen | Für Ihn | | | |
|---|---|---|---|---|---|---|---|---|
| Du | | Ich | | | Ich | | Du | |
| Ja | Nein | Ja | Nein | | Ja | Nein | Ja | Nein |
| | | | | 1) Ich glaube fest daran, daß nichts die Beziehung zu meinem Partner ernstlich gefährden könnte. | | | | |
| | | | | 2) Die Vorstellung, daß es immer so weitergeht, wie es bis heute war, ist für mich unerträglich. | | | | |
| | | | | 3) Manchmal habe ich Phantasien von einem Leben in fernen Ländern mit anderen Freunden, neuen Interessen und einem anderen Partner. | | | | |
| | | | | 4) Ich glaube, daß ich unter Hypnose, von allen Hemmungen befreit, Zukunftsvisionen hätte, die ich mir sonst verbiete. | | | | |
| | | | | 5) Ich bin sicher, daß wir zusammen alt werden. | | | | |

| Für Sie | | | | Testfragen | Für Ihn | | | |
|---|---|---|---|---|---|---|---|---|
| Du | | Ich | | | Ich | | Du | |
| Ja | Nein | Ja | Nein | | Ja | Nein | Ja | Nein |
| | | | | 6) Manchmal stelle ich mir vor, wie mein Leben aussehen würde, wenn wir uns getrennt hätten. | | | | |
| | | | | 7) Ich werde mich in meinem Charakter nicht verändern. | | | | |
| | | | | 8) Ich bin fest davon überzeugt, daß die ganz großen Erfahrungen in Liebe und Sex noch vor mir liegen. | | | | |
| | | | | 9) Ich habe keine Zeit und Muße, mich mit Vorstellungen über die Zukunft abzugeben. | | | | |
| | | | | 10) Ich bin fest davon überzeugt, daß ich meinen Partner nach dem Tode wiedertreffen werde, gleichgültig wer von uns beiden eher hier die Szene verläßt. | | | | |
| | | | | 11) Sollten wir uns jemals trennen, wird das im Guten geschehen. | | | | |

| Für Sie | | | | Testfragen | Für Ihn | | | |
|---|---|---|---|---|---|---|---|---|
| Du | | Ich | | | Ich | | Du | |
| Ja | Nein | Ja | Nein | | Ja | Nein | Ja | Nein |
| | | | | 12) Es fällt mir ganz leicht, alles aus der Vergangenheit zu erinnern, aber ich hätte Schwierigkeiten, mir selbst den morgigen Tag vorzustellen. | | | | |
| | | | | 13) Mein Partner wird sich auch in Zukunft nicht ändern. | | | | |
| | | | | 14) Da man nie wissen kann, was die Zukunft bringt, kann ich sie mir auch mit einem anderen Partner vorstellen. | | | | |
| | | | | 15) Ich befürchte, daß es eines Tages zur Trennung kommen wird, wenn wir in unserer Beziehung nichts ändern. | | | | |
| | | | | 16) Ich bin sicher, daß mein Partner mich niemals verlassen wird. | | | | |
| | | | | 17) Ich glaube, daß im großen und ganzen alles so bleiben wird, wie es ist. | | | | |

| Für Sie | | | | Testfragen | Für Ihn | | | |
|---|---|---|---|---|---|---|---|---|
| Du | | Ich | | | Ich | | Du | |
| Ja | Nein | Ja | Nein | | Ja | Nein | Ja | Nein |
| | | | | 18) Ich habe keine Angst vor der Zukunft. | | | | |
| | | | | 19) Ich kann mir ein Leben ohne meinen Partner nicht vorstellen. | | | | |
| | | | | 20) Ich habe Angst vor dem Altwerden. | | | | |

**Testauswertung**

Unabhängig von diesem Testergebnis werden Sie den größten Gewinn haben, wenn Sie unterschiedliche Antworten zu den einzelnen Fragen miteinander diskutieren. Sollten Sie dies tun, achten Sie auf eine eingebaute Falle: Kritisieren Sie weder die Fragen noch Ihren Partner. Versuchen Sie nicht, ihm klarzumachen, daß er etwas falsch verstanden hat. Die Fragen wurden absichtlich so formuliert, daß unterschiedliche Deutungen möglich sind.

*I. Partnerschaftsergebnis*

Vergleichen Sie Ihre Ich-Antworten mit den Ich-Antworten Ihres Partners. Für jede Übereinstimmung, gleichgültig ob Ja/Ja oder Nein/Nein, erhalten Sie einen Punkt. Dies ist Ihr Partnerschaftsergebnis und zeigt Ihnen, wie hoch der Grad an Übereinstimmung in Ihrer Vorstellung über die Zukunft ist.

*16 und mehr Punkte:*
Sie sind sich weitgehend einig, was die Zukunft anbelangt. Wenn

Sie sich damit gut fühlen, ist Ihre Partnerschaft nach der Devise „Gleich und gleich gesellt sich gern“ zustande gekommen. Sollte Ihnen etwas fehlen, dann wird es daran liegen, daß einer von Ihnen sein Bedürfnis nach mehr Abenteuer, Spannung und Risiko der Harmonie mit dem anderen geopfert hat.

*8 – 15 Punkte:*
Ihre unterschiedlichen Vorstellungen von der Zukunft können die besten Voraussetzungen dafür sein, dauerhaft Anziehung und Abenteuer miteinander zu erleben. Bedingung dafür ist allerdings, daß Sie beide der Versuchung widerstehen, dem anderen die eigenen Vorstellungen aufzuzwingen. Denn Ihre unterschiedlichen Auffassungen können wertvolle Anregungen für den anderen sein.

*Weniger als 8 Punkte:*
Ihre Vorstellungen von der Zukunft sind völlig entgegengesetzt. Vielleicht stellen Sie die altbekannten Gegensätze dar, die sich anziehen. Solche Beziehungen beinhalten die größten Möglichkeiten für Glückserlebnisse, stellen aber auch die allerhöchsten Anforderungen an das gegenseitige Verständnis. Sollten Sie in der Einzelwertung auch niedrige Punktzahlen erzielt haben, wird Ihnen Anziehung allein auf Dauer nicht helfen.

### *II. Einzelwertung für die Frau*

Vergleichen Sie Ihre Du-Antworten mit den Ich-Antworten Ihres Partners. Für jede Übereinstimmung, ob Ja oder Nein, erhalten Sie einen Punkt. Dieses Ergebnis sagt Ihnen, ob Sie Ihren Partner so sehen, wie er wirklich ist.

*16 und mehr Punkte:*
Sie haben ein genaues Bild von den Zukunftsvorstellungen Ihres Partners. Das zeigt, daß Sie Einfühlungsvermögen und Verständnis besitzen – für andere jedenfalls. Leider gilt nämlich, daß die eigenen Bedürfnisse und Wünsche um so stärker unterdrückt werden, je besser man die Wünsche der anderen erkennt. Es gilt also, Ihr Verständnis zu bewahren, aber dabei auch den eigenen Bedürfnissen Beachtung zu schenken.

*8 – 15 Punkte:*
Sie haben ein unklares Bild von den Zukunftsvorstellungen Ihres Partners. Wahrscheinlich verwechseln Sie Ihre eigenen Wünsche und Ängste mit denen Ihres Partners. Das passiert um so leichter, je weniger man sich selbst eingesteht, welche Bedürfnisse und Befürchtungen man hat. Erst wenn Sie das tun, können Sie auch Ihren Partner klarer sehen.

*Weniger als 8 Punkte:*
Sie haben ein Wunsch- oder Angstbild von den Zukunftsvisionen Ihres Partners. Vielleicht denkt er an Trennung und Sie spielen die Glückliche, oder Sie fürchten ganz unsinnigerweise, daß er sich von Ihnen abwendet. So oder so, was Sie tun oder sagen, wird falsch sein, solange Sie nicht den Mut haben, ihn so zu sehen, wie er wirklich ist.

### *III. Einzelwertung für den Mann*

Vergleichen Sie Ihre Du-Antworten mit den Ich-Antworten Ihrer Partnerin. Für jede Übereinstimmung, ob Ja oder Nein, erhalten Sie einen Punkt.

*16 und mehr Punkte:*
Sie kennen die Zukunftsvorstellungen Ihrer Partnerin. Wahrscheinlich reden Sie offen miteinander darüber. Falls Ihre Partnerin im mittleren oder unteren Punktebereich liegen, fällt Ihnen die schwierige Aufgabe zu, entweder den Traum Ihrer Partnerin als wahr erscheinen zu lassen oder ihn als Traum zu entlarven.

*8 – 15 Punkte:*
Ihr Bild von den Zukunftsvorstellungen Ihrer Partnerin ist lückenhaft. Ohne Schwierigkeiten wird das nur abgehen, wenn Ihre Partnerin mehr Verständnis für Sie als umgekehrt hat. Ansonsten könnten Sie an Ihren falschen Antworten erkennen, wo und warum Sie falsch liegen.

*Weniger als 8 Punkte:*
Sie haben eine völlig falsche Vorstellung von den Zukunftswünschen Ihrer Partnerin. In Ihrer Phantasie ist Ihre Partnerin ein

Märchenwesen, eine Fee oder auch eine Hexe. Da solche Wesen nur selten in wirklicher Menschengestalt auftreten, wird das meiste, was Sie tun und sagen, wenig mit Ihrer Partnerin zu tun haben.

## 5. Aufrichtigkeit oder: Beichten Sie einen Seitensprung?

### So wird's gemacht

Beantworten Sie zunächst alle Fragen aufrichtig mit Ja oder Nein unter der Spalte „Ich". Gehen Sie dann noch einmal alle Fragen durch und raten Sie, wie Ihr Partner die Fragen beantworten wird, und tragen Sie das unter der Spalte „Du" ein.

Decken Sie dann Ihre Antworten ab und lassen Sie Ihren Partner dasselbe tun.

Bitte achten Sie darauf, daß eine Ja-Antwort bedeutet, daß Sie dem Satz zustimmen, eine Nein-Antwort, daß Sie ihm nicht zustimmen. Zum Beispiel „Ich gehe nicht gern ins Kino". Wenn das wahr ist, antworten Sie mit Ja, und mit Nein, wenn Sie gern ins Kino gehen.

| Für Sie | | | | Testfragen | Für Ihn | | | |
|---|---|---|---|---|---|---|---|---|
| Du | | Ich | | | Ich | | Du | |
| Ja | Nein | Ja | Nein | | Ja | Nein | Ja | Nein |
| | | | | 1) Ich glaube, daß es langweilig wäre, wenn nicht jeder seine kleinen Geheimnisse hätte, von denen der andere nichts wissen darf. | | | | |

| Für Sie | | | | Testfragen | Für Ihn | | | |
|---|---|---|---|---|---|---|---|---|
| Du | | Ich | | | Ich | | Du | |
| Ja | Nein | Ja | Nein | | Ja | Nein | Ja | Nein |
| | | | | 2) Ich hatte schon manchmal das Gefühl, daß mein Partner mich betrügt. | | | | |
| | | | | 3) Ich glaube nicht, daß ich aufrichtig sein würde, wenn ich Sehnsucht nach einem anderen Partner hätte. | | | | |
| | | | | 4) Es fällt mir leicht, es meinem Partner klar zu sagen, wenn ich ihn unausstehlich finde. | | | | |
| | | | | 5) Es ist mir lieber, wenn ich nicht alles weiß, was mein Partner so macht und denkt. | | | | |
| | | | | 6) Es gibt jemanden (Freund, Freundin, Arzt, Pfarrer etc.) dem gegenüber ich aufrichtiger bin als gegenüber meinem Partner. | | | | |

| Für Sie | | | | Testfragen | Für Ihn | | | |
|---|---|---|---|---|---|---|---|---|
| Du | | Ich | | | Ich | | Du | |
| Ja | Nein | Ja | Nein | | Ja | Nein | Ja | Nein |
| | | | | 7) Es fällt mir leichter, aufrichtig in dem zu sein, was ich wirklich tue, als in dem, was in meinen Phantasien und Tagträumen vorgeht. | | | | |
| | | | | 8) Wenn ich einmal die Unwahrheit sagte, würde mich das noch wochenlang quälen. | | | | |
| | | | | 9) Wir sind miteinander völlig aufrichtig. | | | | |
| | | | | 10) Wenn ich das Gefühl habe, daß etwas nicht stimmt, frage ich. | | | | |
| | | | | 11) Es fällt mir schwer, offen zu sagen, wenn ich meinen Partner sexuell nicht attraktiv finde. | | | | |
| | | | | 12) Ich glaube, daß es manchmal richtig ist, nach der Devise zu leben: „Was er/sie nicht weiß, macht ihn/sie nicht heiß.“ | | | | |

| Für Sie | | | | Testfragen | Für Ihn | | | |
|---|---|---|---|---|---|---|---|---|
| Du | | Ich | | | Ich | | Du | |
| Ja | Nein | Ja | Nein | | Ja | Nein | Ja | Nein |
| | | | | 13) Es gibt nichts, was ich meinem Partner noch beichten könnte. | | | | |
| | | | | 14) Aufrichtigkeit fällt mir viel leichter beim Zugeben meiner Fehler als beim Ausdrücken meiner wahren Wünsche und Bedürfnisse. | | | | |
| | | | | 15) Ich bin sicher, daß mir mein Partner einen Seitensprung beichten würde. | | | | |
| | | | | 16) Ich wäre dankbar, wenn mir mein Partner offen sagen würde, was er an mir äußerlich nicht mag. | | | | |
| | | | | 17) Wenn ich keine Lust auf Sex habe, bin ich schon einmal unaufrichtig und schütze Müdigkeit, Kopfschmerz oder Arbeitsüberlastung vor. | | | | |

| Für Sie | | | | Testfragen | Für Ihn | | | |
|---|---|---|---|---|---|---|---|---|
| Du | | Ich | | | Ich | | Du | |
| Ja | Nein | Ja | Nein | | Ja | Nein | Ja | Nein |
| | | | | 18) Ich fürchte, daß mein Partner schokkiert wäre, wenn er wirklich alles von mir wüßte. | | | | |
| | | | | 19) Ich habe meinem Partner noch nie eine Lügengeschichte erzählt, um etwas zu vertuschen. | | | | |
| | | | | 20) Ich glaube, daß wir am Anfang unserer Beziehung aufrichtiger miteinander waren als jetzt. | | | | |

## Testauswertung

Unabhängig von diesem Testergebnis werden Sie den größten Gewinn haben, wenn Sie unterschiedliche Antworten zu den einzelnen Fragen miteinander diskutieren. Sollten Sie dies tun, achten Sie auf eine eingebaute Falle: Kritisieren Sie weder die Fragen noch Ihren Partner. Versuchen Sie nicht, ihm klarzumachen, daß er etwas falsch verstanden hat. Die Fragen wurden absichtlich so formuliert, daß unterschiedliche Deutungen möglich sind.

### *I. Partnerschaftsergebnis*

Vergleichen Sie Ihre Ich-Antworten mit den Ich-Antworten Ihres Partners. Für jede Übereinstimmung, gleichgültig ob Ja/Ja oder

Nein/Nein, erhalten Sie einen Punkt. Dies ist Ihr Partnerschaftsergebnis und zeigt Ihnen, wie hoch der Grad an Übereinstimmung in Ihrer Vorstellung von Aufrichtigkeit ist.

*16 und mehr Punkte:*
Die hohe Übereinstimmung sagt nicht, wie aufrichtig Sie sind, wohl aber, daß Sie beide der Aufrichtigkeit den gleichen Wert oder Unwert beimessen. Sollten Sie sich dennoch unwohl fühlen, liegt das also nicht an Differenzen zwischen Ihnen, sondern an den Spielregeln. Diese Regeln können Sie verändern und sich für mehr oder weniger Aufrichtigkeit entscheiden. Mehr Aufrichtigkeit kann mehr Konflikt, aber auch mehr Nähe und Intimität bringen. Weniger Offenheit kann zu Mißtrauen führen, aber manchmal auch zu größerer sexueller Anziehung.

*8 – 15 Punkte:*
Es gibt bedeutsame Unterschiede in Ihrer Auffassung über Aufrichtigkeit. Da Aufrichtigkeit eng mit Vertrauen zusammenhängt, ist anzunehmen, daß einer von Ihnen nicht etwa nur dem Partner, sondern ganz allgemein weniger vertraut. Oft verändert dieser Partner seine Einstellung zur Aufrichtigkeit, wenn er erkennt, daß Offenheit ungefährlich und bereichernd ist.

*Weniger als 8 Punkte:*
Bei so viel Unterschiedlichkeit gibt es nur zwei Möglichkeiten:

1. Sie wollen beide an der Beziehung festhalten, aber einer von Ihnen fürchtet bei totaler Aufrichtigkeit um ihren Bestand. Vermutlich hat dieser Partner in der Kindheit gelernt, daß er bestraft wird, wenn man offen sagt, was man wünscht oder fürchtet.
2. Einer oder beide Partner sind nicht mehr mit ganzem Herzen in der Partnerschaft dabei, scheuen aber vor der Trennung zurück.

### *II. Einzelwertung für die Frau*

Vergleichen Sie Ihre Du-Antworten mit den Ich-Antworten Ihres Partners. Für jede Übereinstimmung, ob Ja oder Nein, erhalten Sie einen Punkt. Dieses Ergebnis sagt Ihnen, ob Sie Ihren Partner so sehen, wie er wirklich ist.

*16 und mehr Punkte:*
Sie wissen genau, wie Ihr Partner über Aufrichtigkeit denkt. Bei gleich hohen Werten im Partnerschaftsergebnis bedeutet es, daß Sie sich völlig einig sind. Sollte das nicht der Fall sein, können Sie mit diesem Ergebnis zweierlei anfangen:

1. Sie können Ihrem Partner helfen, vertrauensvoller und offener zu werden.
2. Sie können ihn manipulieren, ohne daß er etwas davon merkt.

*8 – 15 Punkte:*
Ihr Bild vom Partner ist lückenhaft. Da Sie aber nicht ganz falschliegen, ist anzunehmen, daß nur bestimmte Themen Ihnen angst machen. Dabei kann es sich um Furcht vor Ihren eigenen Bedürfnissen oder vor denen Ihres Partners handeln. Wenn Sie die Antworten betrachten, bei denen Sie falschlagen, wird Ihnen deutlich werden, um welches Thema es geht.

*Weniger als 8 Punkte:*
Sie sehen Ihren Partner völlig falsch. Sie träumen ihn mehr, als daß Sie ihn sehen, ob das nun ein Wunsch- oder Alptraum ist. Enttäuschungen, Mißverständnisse und Streitereien sind dann unvermeidlich. Es sei denn, Sie haben einen Partner, der Sie ausgezeichnet kennt und versteht.

### *III. Einzelwertung für den Mann*

Vergleichen Sie Ihre Du-Antworten mit den Ich-Antworten Ihrer Partnerin. Für jede Übereinstimmung, ob Ja oder Nein, erhalten Sie einen Punkt. Dieses Ergebnis sagt Ihnen, ob Sie Ihre Partnerin so sehen, wie sie wirklich ist.

*16 und mehr Punkte:*
Für einen Mann in unserem Kulturkreis besitzen Sie ein außerordentlich gutes Einfühlungsvermögen. Sollte Ihre Partnerin ein ähnlich gutes Ergebnis erzielt haben, sind Sie nur zu beglückwünschen. Wenn nicht, hat Ihr gutes Ergebnis auch seine bedenkliche Seite. Viele Männer nämlich bezahlen ein so tiefes Eingehen auf die weibliche Psyche mit einem Verlust an männlichem

Durchsetzungsvermögen, was oft auch Folgen für die sexuelle Potenz hat.

*8 – 15 Punkte:*
Sie sind ein ganz „normaler" Mann, der das Einfühlungsvermögen der Frau überläßt. Das ist gut, wenn sie es hat, aber schwierig, wenn auch ihr die rechte Einfühlung fehlt. Im letzteren Fall kann ein offenes Gespräch über das, was man sich sagen will, und das, was jeder für sich behalten darf, nützlich sein, manchmal sogar aufregend und belustigend.

*Weniger als 8 Punkte:*
Sie sehen Ihre Partnerin völlig falsch. Sollten Sie sich dennoch wohl fühlen, liegt das ganz und gar an Ihrer Partnerin. Sie hat ein außergewöhnliches Geschick, sich genau so zu verhalten, wie Sie es sich erträumen. Die Sache hat nur einen ganz kleinen Haken. Sollte sie jemals aus der Rolle fallen, werden auch Sie fallen, nämlich aus Ihren Wolken.

## 6. Wie stehen Sie zu Freizeit und Freunden?

### So wird's gemacht

Beantworten Sie zunächst alle Fragen aufrichtig mit Ja oder Nein unter der Spalte „Ich". Gehen Sie dann noch einmal alle Fragen durch und raten Sie, wie Ihr Partner die Fragen beantworten wird, und tragen Sie das unter der Spalte „Du" ein. Decken Sie dann Ihre Antworten ab und lassen Sie Ihren Partner dasselbe tun.

Bitte achten Sie darauf, daß eine Ja-Antwort bedeutet, daß Sie dem Satz zustimmen, eine Nein-Antwort, daß Sie ihm nicht zustimmen. Zum Beispiel „Ich gehe nicht gern ins Kino." Wenn das wahr ist, antworten Sie mit Ja, und mit Nein, wenn Sie gern ins Kino gehen.

| Für Sie | | | | Testfragen | Für Ihn | | | |
|---|---|---|---|---|---|---|---|---|
| Du | | Ich | | | Ich | | Du | |
| Ja | Nein | Ja | Nein | | Ja | Nein | Ja | Nein |
| | | | | 1) Mich interessieren nur Dinge, die ich mit meinem Partner gemeinsam machen kann. | | | | |
| | | | | 2) Ich glaube, daß fast alle Leute in ihrer Freizeit nicht wirklich das tun, was sie am liebsten täten. | | | | |
| | | | | 3) Ich war schon einmal in den Freund (Freundin) meines Partners (meiner Partnerin) verliebt. | | | | |
| | | | | 4) Ich brauche auch Beschäftigungen und Interessen, die nur für mich allein wichtig sind. | | | | |
| | | | | 5) Ich mag nur die Freunde meines Partners, die auf mich sexuell anziehend wirken. | | | | |
| | | | | 6) Ich würde mich unattraktiv fühlen, wenn ich keine Chancen beim anderen Geschlecht hätte. | | | | |

| Für Sie | | | | Testfragen | Für Ihn | | | |
|---|---|---|---|---|---|---|---|---|
| Du | | Ich | | | Ich | | Du | |
| Ja | Nein | Ja | Nein | | Ja | Nein | Ja | Nein |
| | | | | 7) Ich glaube, daß in Ehen etwas nicht stimmt, wenn nicht beide Anteil an den Interessen des anderen haben. | | | | |
| | | | | 8) Ich habe Freunde die meinen Partner nicht kennen. | | | | |
| | | | | 9) Unter bestimmten Bedingungen kann ich mir vorstellen, daß Gruppensex und Partnertausch eine belebende Sache für die Partnerschaft sind. | | | | |
| | | | | 10) Ich nutze meine Freizeit nicht nur zu Vergnügen und Unterhaltung, sondern auch zum Lernen und Weiterbilden. | | | | |
| | | | | 11) Ich glaube, daß ich mich in der Freizeitgestaltung zu sehr nach den Wünschen meines Partners richte. | | | | |

| Für Sie | | | | Testfragen | Für Ihn | | | |
|---|---|---|---|---|---|---|---|---|
| Du | | Ich | | | Ich | | Du | |
| Ja | Nein | Ja | Nein | | Ja | Nein | Ja | Nein |
| | | | | 12) Ich bin meinem Partner keine Rechenschaft schuldig über die Zeit, die ich ohne ihn verbringe. | | | | |
| | | | | 13) Wenn ich mir mein Leben einrichten könnte, wie ich es wollte, würde ich meine Freizeit am liebsten zur Hälfte mit meinem Partner und zur Hälfte mit vielen Andersgeschlechtlichen verbringen. | | | | |
| | | | | 14) Der Freund meines Mannes (die Freundin meiner Frau) könnte mich niemals in Versuchung führen. | | | | |
| | | | | 15) Es ist mir unmöglich, mit Menschen zusammenzusein, die meinen Partner nicht ausstehen können. | | | | |
| | | | | 16) Ich würde gern einmal allein in den Urlaub fahren. | | | | |

| Für Sie | | | | Testfragen | Für Ihn | | | |
|---|---|---|---|---|---|---|---|---|
| Du | | Ich | | | Ich | | Du | |
| Ja | Nein | Ja | Nein | | Ja | Nein | Ja | Nein |
| | | | | 17) An Sonn- und Feiertagen habe ich oft ein ungutes Gefühl. | | | | |
| | | | | 18) Ich verbringe meine Freizeit am liebsten mit meinem Partner. | | | | |
| | | | | 19) Mein Partner ist mir keine Rechenschaft schuldig über die Zeit, die er ohne mich verbringt. | | | | |
| | | | | 20) Ich glaube, daß wir uns gegenseitig zu wenig Freiheit geben. | | | | |

## Testauswertung

Unabhängig von diesem Testergebnis werden Sie den größten Gewinn haben, wenn Sie unterschiedliche Antworten zu den einzelnen Fragen miteinander diskutieren. Sollten Sie dies tun, achten Sie auf eine eingebaute Falle: Kritisieren Sie weder die Fragen noch Ihren Partner. Versuchen Sie nicht, ihm klarzumachen, daß er etwas falsch verstanden hat. Die Fragen wurden absichtlich so formuliert, daß unterschiedliche Deutungen möglich sind.

### *I. Partnerschaftsergebnis*

Vergleichen Sie Ihre Ich-Antworten mit den Ich-Antworten Ihres Partners. Für jede Übereinstimmung, gleichgültig ob Ja/Ja oder

Nein/Nein, erhalten Sie einen Punkt. Dies ist ihr Partnerschaftsergebnis und zeigt Ihnen, wie hoch der Grad an Übereinstimmung in Ihrer Vorstellung von Freizeit und Freunden ist.

*16 und mehr Punkte:*
Sie sind sich darin einig, was Freizeit und Freunde für Sie bedeuten, ob diese Einigkeit nun darin besteht, alles gemeinsam oder vieles getrennt zu machen. Sollten Sie dennoch Langeweile oder Mangel erleben, ist anzunehmen, daß Sie sich gemeinsam mehr auf ein Ideal als auf Ihre wirklichen Bedürfnisse geeinigt haben.

*8 – 15 Punkte:*
Es gibt bedeutsame Unterschiede in Ihren Vorstellungen über Freizeit und Freunde. Da sich die meisten Menschen eher in ihrer Freizeit als in der Arbeit zu verwirklichen suchen, sind unterschiedliche Interessen hier fast immer brisant und konfliktreich. Hier hilft nur eine klare „vertragliche" Vereinbarung, wie weit die beiderseitigen Rechte und Pflichten gehen sollen, und natürlich das strikte Einhalten dieser Abmachung.

*Weniger als 8 Punkte:*
Die Unterschiede bei Ihren Freizeitinteressen sind so groß, daß es schon einiger Anstrengung bedarf, damit zu leben. Fast unmöglich wird das sein, wenn der eine mehr mit anderen, der andere mehr mit dem Partner zusammen sein möchte. Wenn überhaupt, wird das nur gehen, wenn entweder die unterschiedlichen Bedürfnisse erkannt und akzeptiert werden oder einer Verzicht leistet.

### *II. Einzelwertung für die Frau*

Vergleichen Sie Ihre Du-Antworten mit den Ich-Antworten Ihres Partners. Für jede Übereinstimmung, ob Ja oder Nein, erhalten Sie einen Punkt. Dieses Ergebnis sagt Ihnen, ob Sie Ihren Partner so sehen, wie er wirklich ist.

*16 und mehr Punkte:*
Sie haben ein klares Verständnis davon, was Ihr Partner von Freunden und Freizeit erwartet. In jedem Fall ist Ihr Einfühlungs-

vermögen förderlich. Sollten Sie aber in der Partnerschaftswertung eine hohe Übereinstimmung haben, ist zu fürchten, daß Sie Ihre eigenen Bedürfnisse verleugnen. Wenn Sie die Fragen probehalber einmal anders beantworten und dabei Angst, Scham oder Schuldgefühle empfinden, ist das sicher der Fall.

*8 – 15 Punkte:*
Sie haben ein unklares Bild davon, was Ihr Partner von Freunden und Freizeit erwartet. Ob Sie's nun wollen oder nicht, mit Ihrer Unkenntnis leugnen Sie die Wünsche und Bedürfnisse Ihres Partners. Sollte auch Ihr Partner so viele oder noch weniger Punkte haben, könnte es Ihnen passieren, daß Sie etwas tun, wozu Sie beide keine Lust haben, oder daß Sie etwas unterlassen, was Sie beide gern täten.

*Weniger als 8 Punkte:*
Sie haben eine ganz und gar unrealistische Vorstellung, was Ihr Partner von Freizeit und Freunden erwartet. So viel Unkenntnis ist niemals nur auf mangelndes Einfühlungsvermögen zurückzuführen. Wahrscheinlicher ist, daß Sie gar nicht wissen wollen, was er will. Sei es nun, damit Sie Ihre Illusion aufrechterhalten können, sei es, damit Sie vor sich selbst so tun können, als wären Ihre Wünsche die seinen.

### *III. Einzelwertung für den Mann*

Vergleichen Sie Ihre Du-Antworten mit den Ich-Antworten Ihrer Partnerin. Für jede Übereinstimmung, ob Ja oder Nein, erhalten Sie einen Punkt. Dieses Ergebnis sagt Ihnen, ob Sie Ihre Partnerin so sehen, wie sie wirklich ist.

*16 und mehr Punkte:*
Sie wissen, was Ihre Partnerin von Freizeit und Freunden erwartet. Bei geringer Übereinstimmung in der Gesamtwertung befähigt Sie Ihre Kenntnis, mit Ihrer Partnerin „vertragliche" Regelungen auszuhandeln. Bei hoher Übereinstimmung sollten Sie unbedingt überprüfen, ob Ihre Antworten Ihre Bedürfnisse oder Ihre Pflichten widerspiegeln.

*8–15 Punkte:*
Sie wissen nicht genau, was Ihre Partnerin von Freizeit und Freunden erwartet. Entweder haben Sie bislang einfach unterstellt, daß sie will, was Sie wollen, oder Sie meinten, sie hat zu wollen, was Sie wollen. In beiden Fällen kann das zu einem bösen Erwachen führen, spätestens wenn Ihre Partnerin entdeckt, was für sie wichtig ist.

*Weniger als 8 Punkte:*
Sie haben keine Ahnung, was Ihre Partnerin von Freizeit und Freunden erwartet. Entweder haben Sie sich diese Frage noch nie gestellt, oder Sie glauben ernstlich, daß Frauen keine Wünsche und Bedürfnisse haben, jedenfalls keine, die mit Ihnen zu tun hätten. Auch wenn Sie gar nichts unternehmen, werden Sie sicher entdekken, daß es sich anders verhält.

## Profilvergleich

In dieser letzten Folge erfahren Sie, was die Einzelergebnisse, die Sie in den sechs Tests erzielt haben, bedeuten.

### Für die Frau

Tragen Sie nun in das Raster auf S. 158 Ihre Testergebnisse, die Sie in der Einzelwertung erzielten, ein. Beginnen Sie unter der Spalte „Test 1" und machen Sie ein Kreuz an der entsprechenden Punktzahl. Verfahren Sie dann weiter so bei Test 2, 3 usw. Verbinden Sie dann die Punkte durch Linien. Damit erhalten Sie Ihr Testprofil.

### Für den Mann

Verfahren Sie in gleicher Weise wie Ihre Partnerin, tragen Sie aber die Linien zur besseren Unterscheidung gestrichelt oder in einer anderen Farbe ein.

| Punkte | Test 1 | Test 2 | Test 3 | Test 4 | Test 5 | Test 6 |
|---|---|---|---|---|---|---|
| 20 | | | | | | |
| 19 | | | | | | |
| 18 | | | | | | |
| 17 | | | | | | |
| 16 | | | | | | |
| 15 | | | | | | |
| 14 | | | | | | |
| 13 | | | | | | |
| 12 | | | | | | |
| 11 | | | | | | |
| 10 | | | | | | |
| 9 | | | | | | |
| 8 | | | | | | |
| 7 | | | | | | |
| 6 | | | | | | |
| 5 | | | | | | |
| 4 | | | | | | |
| 3 | | | | | | |
| 2 | | | | | | |
| 1 | | | | | | |
| 0 | | | | | | |

Betrachten Sie nun die fünf folgenden Profile. Eines davon wird Ihrem ähnlich sehen.

*1. Durchweg höhere Punktzahlen:*

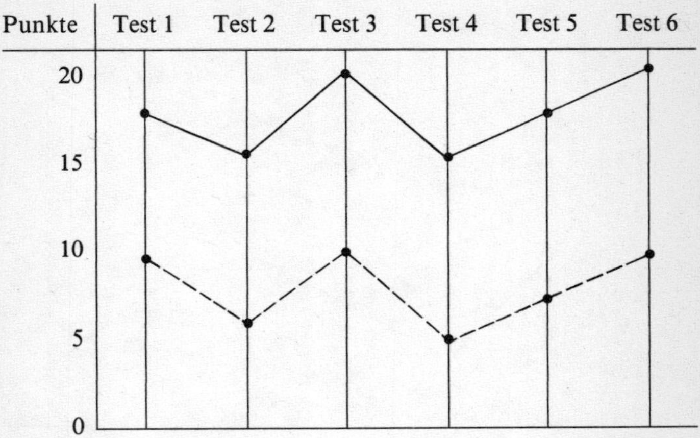


Wenn Ihr Profil etwa so aussieht wie das mit der durchzogenen Linie, wobei also Ihr Partner in keinem Test ein höheres Ergebnis hat als Sie, bedeutet dies:

Sie verstehen Ihren Partner in allen Bereichen entschieden besser als er Sie. Das kann heißen, daß Sie besser beobachten oder zuhören oder auch einfach, daß Sie aufmerksamer und interessierter sind. Sie können diese Fähigkeit auf zwei ganz verschiedene Weisen nutzen.

1. Da Sie Ihren Partner in vieler Hinsicht besser verstehen als er sich selbst, können Sie ihm helfen, seine Wünsche und Bedürfnisse zu erkennen und ihm Mut machen, sie auch auszudrücken.

2. Da Sie genau wissen, was Ihrem Partner Spaß macht, wovor er sich fürchtet und was ihm Schuld- und Schamgefühle bereitet, können Sie ihn nach Ihrer Pfeife tanzen lassen, wenn Sie wollen.

*2. Durchweg niedrigere Punktzahlen:*

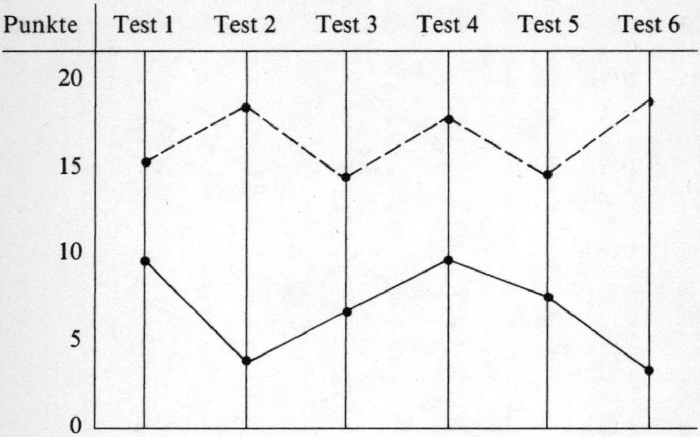


Wenn Sie in keinem einzigen Wert über Ihrem Partner liegen, bedeutet das:

In allen Bereichen verstehen Sie entschieden weniger von Ihrem Partner als dieser von Ihnen. Das weist darauf hin, daß Sie Ihre Sinnesorgane im Umgang mit Ihrem Partner nicht benutzen, nicht hinhören, wenn er redet, und nicht beobachten, was in seinem Gesicht vorgeht. Da Sie nicht verstehen, welche Absichten, Gefühle und Ziele Ihr Partner hat, werden Ihnen seine Handlungen oft unverständlich oder sogar beängstigend erscheinen. Im Anschluß an die Profilvergleiche können Sie lesen, was zu tun ist, wenn Sie Ihren Partner besser verstehen wollen.

*3. Beide Profile durchweg in allen Tests über 16 Punkte*

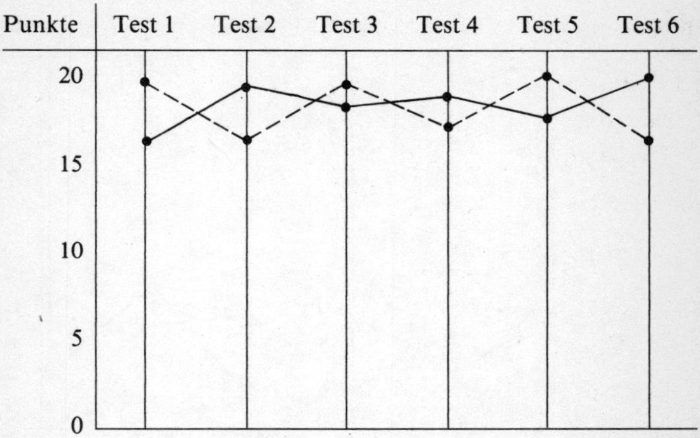


Dies ist das bestmögliche Ergebnis. Da Sie sich beide gegenseitig hervorragend verstehen, ist für Sie gleichberechtigte Partnerschaft eine Selbstverständlichkeit. Dieses Ergebnis läßt erkennen, daß Sie sich in allen Fragen in die Position des anderen versetzen können, ohne dabei den eigenen Standpunkt zu verleugnen oder zu verdrängen. Nur dann nämlich, wenn man sowohl die eigenen Bedürfnisse als auch die des Partners verstehen und akzeptieren kann, ist fruchtbarer Austausch in einer Partnerbeziehung möglich.

*4. Beide Profile durchweg in allen Tests unter 8 Punkte*

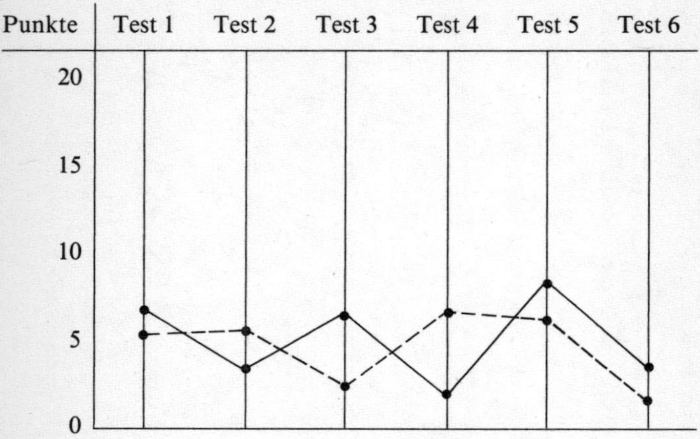


Dieses Ergebnis bedeutet, daß Sie sich gegenseitig weder verstehen noch verständigen können. Jeder von Ihnen hat ein Bild vom anderen, das nur wenig mit der Wirklichkeit gemein hat. Beide Partner mit solchem Ergebnis streiten oft, sind extrem eifersüchtig, besitzergreifend, lassen dem Partner wenig Freiheit und beanspruchen zugleich völlige Unabhängigkeit. Zugleich meinen beide Partner, daß die Schuld für die Misere allein beim anderen liegt. Die niedrigen Punktzahlen beweisen aber klar, daß es *beiden* an Verständnis, Einfühlung und Interesse für den Partner fehlt.

*5. Einer oder beide Partner haben große Unterschiede in den einzelnen Testergebnissen*

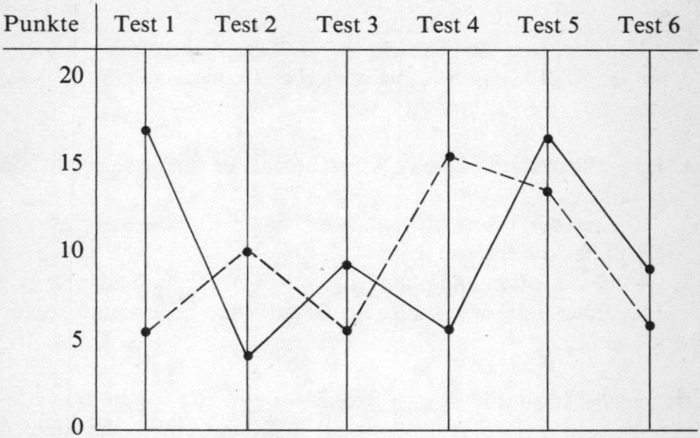


Dieses Ergebnis weist darauf hin, daß es Tabubereiche gibt. Wahrscheinlich ist Ihre Fähigkeit zu Verständnis und Einfühlung so ausgeprägt, wie es der Test, in dem Sie die höchste Punktzahl erzielten, ausweist. Die Tests, in denen Sie entschieden unter diesem Ergebnis zurückblieben, sind die Bereiche, vor denen Sie Angst haben, in denen Sie sich gehemmt oder blockiert fühlen.

# Was Sie tun können

Psychologen, Sexualwissenschaftler und Eheberater haben herausgefunden, daß Menschen in Partnerbeziehungen glücklich, vital, gesund und sexuell aktiv sind, wenn

1. jeder Partner die eigenen Wünsche und Bedürfnisse kennt und bejaht;
2. der eine die Wünsche und Bedürfnisse des Partners ebenso kennt und akzeptiert;
3. wenn beide offen und ohne Angst vor Verurteilung oder Bestrafung über ihre Wünsche und Bedürfnisse miteinander reden können.

Kennen beide nur die eigenen Bedürfnisse, nicht aber die des anderen, kann es keinen Austausch geben. Kennt einer oder kennen beide zwar die Bedürfnisse des anderen, nicht aber die eigenen, dann ist Unzufriedenheit und Frustration bei beiden die Folge. Aber sogar noch, wenn beide die eigenen Wünsche und auch die des Partners kennen, nützt das nichts, wenn sie dies nicht offen mitteilen.

## Wie man die eigenen Wünsche und Bedürfnisse erkennt

Im Grunde ist es sehr leicht, die eigenen Wünsche und Bedürfnisse zu erkennen. Nämlich deshalb, weil dabei auch stets körperlich etwas geschieht – Erregung stellt sich ein, Herz und Atem gehen schneller, und man spürt, wie das Interesse steigt und Spannkraft sich aufbaut.

Sie brauchen also nur die Augen zu schließen und in der Phantasie die verschiedensten Situationen durchspielen: zum Beispiel Sex im Wald, mit einem anderen Partner, in Verkleidung, ganz zärtlich oder ganz hart usw. Wann immer Sie Erregung spüren (das muß nicht unbedingt eine sexuelle Reaktion sein), ist ein Wunsch oder ein Bedürfnis angesprochen.

Sie können diese „Phantasiereisen“ für sämtliche Lebensbereiche durchspielen, und mindestens einen Gewinn werden Sie dabei auf jeden Fall haben: das Gefühl von mehr Energie und Freiheit.

Allerdings wird Ihnen das nur gelingen, wenn Sie sich klarmachen, daß niemand Sie zwingt, einen Wunsch zu erfüllen oder ein Bedürfnis zu befriedigen. Sicher werden Sie sich manche Wünsche nicht erfüllen wollen, weil die Konsequenzen zu unangenehm wären. Aber viele Wünsche können Sie mit Gewinn für sich und Ihren Partner in Erfüllung gehen lassen.

## Wie man die Wünsche und Bedürfnisse des Partners erkennt

Die einfachste Methode ist natürlich die, den Partner zu fragen. Das ist nicht so banal, wie es klingt. Prüfen Sie, ob Sie Ihren Partner schon jemals gefragt haben, was genau ihm Vergnügen oder Lust bereitet. Die Betonung liegt hier auf „genau“. Vage Formulierungen wie „Ich hätte es gern zärtlich“, nützen wenig. Gehen Sie der Sache wie ein Detektiv auf den Grund, fragen Sie: „Wie, auf welche Weise zärtlich? Mit der Stimme? Und wie klingt sie dann? Mit den Augen? Was für ein Blick ist das? Mit den Händen? Wie und wo genau?“.

Sie werden schnell merken, daß schon solch ein präzises Fragespiel, bei dem man es ganz genau wissen will, seinen eigenen Reiz hat, und außerordentlich stimulierend wirkt. Abgesehen davon können Sie auf diese Weise in einer halben Stunde oft mehr erfahren als in fünf Jahren schüchterner Praxis.

Allerdings werden Sie mit der Fragemethode irgendwo an eine Grenze stoßen, ganz einfach, weil Ihr Partner in manchen Dingen wirklich nicht weiß, was er will und wünscht. Genauer: Seine Wünsche und Bedürfnisse sind ihm nicht bewußt, aber das heißt noch lange nicht, daß er sie nicht hat. Wenn er Wünsche hat, die er nicht kennt, und Sie fragen danach, etwa „Würdest Du gerne im Wald oder im Auto mit mir schlafen?“, dann wird sich in seinem Gesicht abzeichnen, ob Ihr Partner das will oder nicht. Wenn Erregung einsetzt, will er. Und Erregung erkennen Sie an folgenden Anzeichen:

1. Er bewegt die Augen nach oben, zur Seite oder nach unten;
2. seine Pupillen erweitern sich;
3. die Haut, besonders im Bereich der Wangen, bekommt etwas Farbe;
4. die Lippen werden größer;
5. der Herzschlag beschleunigt sich, was Sie an der Halsschlagader erkennen können;
6. die Atemzüge werden schneller, was Sie an den Nasenflügeln und der Brust erkennen.

Wann immer Sie diese Anzeichen bemerken, können Sie sicher sein, daß Sie bei Ihrem Partner auf etwas gestoßen sind, das ihn erregt.

Ganz nebenbei wird Sie diese Art zu schauen nicht nur in Menschenkenntnis üben, sondern auch Ihre eigene Erregung kräftig steigern.

Nur vor einem müssen Sie auf der Hut sein: Bleiben Sie nicht bei Vermutungen und Gedanken stehen, denn dann können Sie nicht mehr sehen und verpassen die Veränderung.

## Wie man ein offenes Gespräch führt

Erste Voraussetzung für ein solches Gespräch ist, daß beide ehrlich mitteilen wollen, was sie fühlen, denken, wünschen oder fürchten, und, daß beide aufrichtig erfahren möchten, was der andere denkt, fühlt, wünscht und fürchtet. Ein Gespräch, bei dem diese Bedingung erfüllt ist, gehört zu den aufregendsten und spannendsten Erfahrungen, die man im Konflikt mit einem Menschen überhaupt machen kann. Und diese Erfahrung ist ganz und gar unmöglich, wenn man nicht bereit ist, alles zu sagen, was einem im Verlauf des Gesprächs in den Sinn kommt, oder wenn man nicht bereit ist, sich wirklich alles und jedes vom Partner anzuhören.

Es ist gut, wenn Sie sich das fest einprägen, wie eine Spielregel. Vereinbaren Sie, sich gegenseitig daran zu erinnern, wenn einer die Spielregel vergißt. Danach gelten folgende Regeln:

1. Überprüfen Sie, ob Sie wirklich verstanden haben, was Ihr Partner meint, indem Sie seinen Satz wiederholen.
2. Erst dann antworten Sie.

3. Achten Sie darauf, daß Sie in allem konkret sind. Sagen Sie nicht: „Du machst mich böse“ oder „Das macht mich heiß“. Sagen Sie statt dessen: „Wenn du so laut und schrill redest und mich dabei nicht anschaust, aber die Faust ballst, dann werde ich wütend.“
4. Wenn Ihr Partner etwas sagt, was Ihnen angst macht oder andere unangenehme Gefühle auslöst, dann versuchen Sie nicht, cool darüber hinwegzugehen oder ihm zu widersprechen. Sagen Sie einfach: „Dieser Satz von dir macht mir angst.“
5. Wenn Sie etwas nicht verstehen, sagen Sie nicht, „das ist Blödsinn“, fragen Sie so lange nach, bitten Sie um Einzelheiten oder Beispiele, bis sie verstehen, was Ihr Partner meint, und sagen Sie ihm dann auch, daß Sie nun verstanden haben.
6. Wenn Sie an einen Punkt kommen, an dem Ihre Interessen auseinandergehen, versuchen Sie nicht, den Partner zu überreden, sondern nehmen Sie zur Kenntnis, daß Sie unterschiedliche Interessen haben.
7. Versuchen Sie dann, herauszufinden, wie und unter welchen Bedingungen die Interessen beider berücksichtigt werden können.

# WISSEN UND VERSTEHEN

**Lebenshilfe von dem populären Psychologen Dr. Ulrich Beer, bekannt durch die Fernsehserie „Ehen vor Gericht"**

Dr. Ulrich Beer
**GLÜCKLICH DURCH POSITIVES DENKEN**
240 Seiten, geb.
**DM 10,–/öS 80,–**
ISBN 3-8118-1069-3

Dr. Ulrich Beer
**LIEBE UND ZÄRTLICHKEIT**
240 Seiten, geb.
**DM 10,–/öS 80,–**
ISBN 3-8118-1070-7

Dr. Ulrich Beer
**LERNEN MIT ERFOLG**
240 Seiten, geb.
**DM 10,–/öS 80,–**
ISBN 3-8118-1071-5

Dr. Ulrich Beer
**HARMONISCH LEBEN MIT KINDERN**
240 Seiten, geb.
**DM 10,–/öS 80,–**
ISBN 3-8118-1072-3

Dr. Ulrich Beer
**GLÜCK ZU ZWEIT**
240 Seiten, geb.
**DM 10,–/öS 80,–**
ISBN 3-8118-1073-2

Dr. Ulrich Beer
**GLÜCK IN REIFEN JAHREN**
240 Seiten, geb.
**DM 10,–/öS 80,–**
ISBN 3-8118-1074-X

RAT UND WISSEN AKTUELL
ZURÜCK ZUR
NATUR-
KOST
FRANZ LAUTENSCHLÄGER
Gesundheit und Wohlbefinden hängen in einer von Schadstoffen belasteten Umwelt in entscheidendem Maße von der richtigen Ernährung ab. Das Buch bietet eine Einführung in den Umgang mit der modernen Biokost. Mit zahlreichen appetitanregenden Rezeptvorschlägen.